이미자 선생님의 3대 명곡

섬마을 선생님 노래
배경지를 찾아서

대부도 대남초등학교

표지사진

최종인 시화호 지킴이께서
2008년 5월 12일, 대남초등학교 앞 갯벌에서
흑꼬리도요(black tailed godwit) 무리가
노는 것을 찍은 사진을
표지 배경으로 승낙해 주심에 감사드립니다.

흑꼬리도요는 대부도, 인천 해안, 한강, 낙동강 하구 등에서
봄과 가을에 이동할 때 20~30마리에서
200~300마리의 큰 무리로 사는 나그네새로서
긴 목을 S자 모양으로 굽히고 걸으며,
캄차카반도에서 시베리아 동부에 걸쳐 번식하고
한국·일본·타이완을 비롯하여 아시아 남부와
오스트레일리아 북부에서 겨울을 난다.
<참고; 네이버 백과, 두산백과>

환 영 사

2020년 1월 이미자 선생님 팬클럽 회장직을 맡고 있는 저에게 부천시의 음악인으로부터 소개를 받았다며, 한국생활음악협회안산지부 이군희 지회장이 만나자고 하였습니다. ‘섬마을선생님노래보존회’ 활동으로 ‘섬마을 선생님’ 노래 관련 봉사 활동을 하는데, 지자체에서 ‘섬마을 선생님’ 노래 배경지 근거가 부족하여 예산 지원을 받지 못하니 도와달라 하였습니다.

그해 2월 초에 지회장과 대부도에 거주하는 대남초등학교 김선철 전 교장님을 인천에서 만났습니다. ‘섬마을 선생님’ 노래 배경지 증언을 KBS 김재형 전 PD님으로부터 처음 들었으며, 배경지 근거를 밝히는데 고생을 많이 한 선생님이라 소개를 받았습니다. ‘섬마을 선생님’ 노래 배경지 보고서와 포럼 자료 파일을 이미자 선생님께 전해 달라고 해서 전해 드렸습니다.

그 후 이미자 선생님 팬클럽 카페에 ‘섬마을 선생님’ 노래 관련 자료, 노래비 건립과 노래보존회 활동 등 다양한 정보를 교류하며 친분을 쌓았습니다. 그 후 인천 ‘2022 이미자 60주년 기념 음악회,’ 일산 ‘이미자 특별감사 콘서트’ 등을 함께 관람하며 이미자 선생님을 만나 뵐 수 있게 도움을 주었습니다.

이 분들을 만나기 전에는 ‘섬마을 선생님’의 배경지가 목포 남쪽 섬이나 영화 촬영지인 대이작도로 믿었습니다. 그런데 대부도의 조사 자료를 살펴보니 해당화, 19살 섬 색시, 철새, 총각 선생님, 구름도 쫓겨 가는 섬마을 등 자연환경, 인물, 배경 등이 대부도와 같았습니다. 평소 대부도는 자주 가는 곳이라 관심이 많아졌습니다.

‘섬마을 선생님’ 노래는 발표된 지 57년이 지난 지금도 장윤정, 린, 조명섭, 강혜연 등 많은 젊은 가수가 각종 언론 매체에 나와 부르고, 전유진, 김다현 등 청소년 가수들도 많이 부르고 있어 이 노래의 높은 인기는 식을 줄 모릅니다. 대부도에 ‘섬마을 선생님’ 노래의 총각 선생님과 섬 색시 주인공이 살고 계신다는 말을 들으니 더욱 보고 싶습니다. 최근에 총각 선생님이 편찮으시다는 소식을 접하고 가슴이 아팠습니다. 건강이 빨리 회복되길 기원합니다.

대부도는 수도권에서 가깝고 관광자원이 풍부하여 ′섬마을 선생님′ 노래 축제를 개최하면 좋은 성과를 거둘 수 있을 것입니다. 좋은 브랜드 하나가 주민 소득증대에 기여(寄與)할 수 있을 것이므로 안산시에서 ′섬마을 선생님′ 노래 기념관, ′섬마을 선생님′ 꽃동산, 해당화 체험장 등을 만드는 데 적극적으로 지원하여 국제적인 ′섬마을 선생님′ 브랜드로 발전시키기를 기대합니다.

이번에 10여 년간 조사한 자료를 정리해서 ‘섬마을 선생님 노래 배경지를 찾아서’란 도서를 발간한다니 축하드리고, 안산시 관계자, 안산의 음악인과 지역 인사 및 대남초등학교 동문회, 그리고 편저자님께 감사드립니다.

2023년 12월

이미자 선생님 팬클럽 회장 동백꽃 나 미 주

차 례

Ⅰ. 이미자 선생님의 3대 명곡 섬마을 선생님 노래

A. 해당화 심기와 인연이 된 섬마을 선생님 노래

'섬마을 선생님' 노래와의 인연은 2010년 4월 6일 대남초등학교에 해당화를 심었다는 말을 듣고, KBS 전 PD 김재형 선생님이 "섬마을 선생님 노래의 배경지는 대남초등학교이고, 이 학교 총각 선생님이 주인공이란" 증언을 김선철 교장이 듣게 된다. 그 후 '섬마을 선생님' 노래 배경지는 대부도라 해도 대부분 믿지 않아, '섬마을 선생님' 노래 배경지라고 주장하는 여러 섬의 지역 여건, 자연환경, 작사자 일행의 접근성, 학교 현황 등을 조사·분석하였다. 2005년 9월 이 학교에 전근을 와서 해당화를 심고, 노래 배경지 증언을 듣고, 음악회를 열고, 노래비를 세우고, 이미자 선생님을 만나게 되고, 「섬마을 선생님 노래 배경지를 찾아서」 책을 발간하게 된 18년간의 과정은 정말 큰 인연이라 생각한다.

필자는 삼천포와 가까운 남강 변에 자라서[1] 동백꽃은 많이 보았어도 해당화는 듣기만 하였지 직접 본 적이 없었다. 2005년 대남초등학교 교장으로 부임하니 학교 뒤편 창하염전 저수지를 메우는데 꽃향기가 너무 좋은 꽃나무가 있어 학교 염전 한 구석에 옮겨 심었다. 마을 사람에게 여쭈었더니 해당화라 하였다. "이렇게 향기가 좋고 아름다운 꽃은 처음 본다고" 하였더니 "가시투성이인 해당화가 무엇이 그렇게 예쁘냐?"며 이상한 듯 쳐다보았다.

사범대 학생과 학교 선생님들이 교가보다 많이 불렀던 '섬마을 선생님' 노래 첫 소절의 해당화라 더욱 애착이 갔던 것이다. 1960~70년대 대남초등학교 주변 바닷가는 온통 해당화 군락지였단다. 외지인들이 당뇨병 특효약이라며 캐 갔고, 마지막에는 포크레인으로 캐가 보기 어렵게 되었단다. 해당화는 꽃향기가 좋고, 달아서 따 먹기도 하였으며, '뿌리부터 열매까지 한 가지 버릴 것 없는 꽃인데 모두 사라져 안타깝다며' 학교에 꼭 심어 달라고 하였다.

<대부도 해당화와 섬마을 선생님 노래비>

이 학교에 부임한 지 5년이 되던 2010년 식목일 다음 날 삼백 그루의 해당화를

1) 대남초등학교 전 교장 김선철; 경상남도 의령 남강 변에서 태어나 삼천포, 통영, 하동포구, 남해, 돌섬, 태종대, 방어진 등 남해안을 여러 번 갔는데 동백꽃은 많이 보았어도 해당화꽃은 보기 어려웠음.

화단 이곳저곳에 심은 후 바닷가 끝 '고랫부리횟집'에 저녁을 먹으러 갔다. 평소에 알고 지내던 '해뜨는마을펜션' 공사 책임자 정○환 소장[2]이 KBS 전 PD 김재형 선생님[3]을 소개해 주었다. 예전에 많던 해당화를 심은 이야기를 듣고, "섬마을 선생님 노래의 배경지는 대남초등학교이고, 이 노래 속의 주인공은 그 학교 총각 선생님이라" 하였다.

<2010년 4월 6일 대남초등학교에 심은 해당화>

필자는 2012년 2월 말 일자로 대남초등학교에서 퇴직한 후 2014년~2016년까지 3년간 안산시좋은마을만들기 공모 사업에 '대부도 옛지명의 유래와 이야기 찾기'라는 주제로 응모하여 매년 150~200만 원씩 지원 받았다. 그 사업 실적으로 '섬마을 대부도 스토리텔링 안내서' 책자와 '대부도 옛이야기 지도'를 300여 부 만들어 안산 지역의 보고회 참석자, 문화해설사, 음악인들에게 배포하였다. 그 속에 '섬마을 선생님 노래 배경지' 이야기를 수록(收錄)하였다.

'섬마을 선생님' 노래 배경지 이야기도 잊혀져 갈 무렵, 2018년 어느 늦은 봄날 시화조력발전소 문화관 안산시 홍보부스에서 문화관광해설사로 근무하고 있었는데, 박명훈 전 안산시 의원이 찾아왔다. 일면식도 없는 사람이 다짜고짜 "섬마을 선생님 배경지 근거를 왜 찾지 않느냐?"는 것이었다. "믿어주는 사람도 없고, 안산시에서도 별 반응이 없어 포기 상태"라 했더니, "교장 선생님께서 배경지를 밝히지 않으면 누가 그 일을 하겠느냐"며 함께 찾아보자고 하였다. 2018년 6월부터 대부도가 고향인 신정웅[4] 교장 선생님의 도움을 받아, 2019년 3월까지 1년 반 동안 4명이 한 팀[5]이 되어 증언 촬영과 노

2) 2010년 해뜨는마을펜션(대부남동 476-17, 2023년 현재 해바다펜션) 공사 책임자 정○환 소장은 김재형 선생님과 형·아우 하는 사이라 하였음

3) KBS 전 PD 김재형; '섬마을 선생님' 노래 작사자인 이경재 님과 서울중앙방송국 시절 함께 근무하였고, 박춘석 작곡가와는 호형호제(呼兄呼弟)하는 사이라 하였음.

4) 신정웅 교장; 1944년생, 대부도는 평산 신씨(申氏) 집성촌이다, 시제(時祭) 등 70여 년을 대부도 곳곳을 돌아다녀 지역 실정에 밝았고, 지역 인사 대부분이 선후배 사이로 잘 알고 있어, 정보 제공과 아울러 함께 다니며 노래 배경지 근거를 찾았다. 대부도에서 태어나 대부초교, 인천고교, 인천교육대학교를 졸업한 후 대동초등학교 교사로 근무하였고, 2007년 인천간석초등학교 교장에서 퇴직하였다. 더욱이 '섬마을 선생님' 노래 가사 속의 섬 색시인 이춘자, 양○자, 이○화씨는 대부초 선배였고, 총각 선생님 서강훈 기호일보 회장님과는 경인교육대학교동문회 관계로 알고 지냈다. 탁○용 교장 선생님, 박○원 교감 선생님과는 인천에서 같은 학교에 근무하였으며, 보고서 완료된 후에는 각종 자료를 감수(監修)해 주어 신뢰도를 높일 수 있었음.

5) 섬마을 선생님 배경지 조사팀; 설문 자료 작성 및 자료 정리는 김선철 대남초등학교 전 교장, 촬영은 이군희 한국생활음악협회 안산지부장, 섭외 및 행정 지원은 박명훈 전 안산시 의원, 자문은 신정웅 인천간석초등학교 전 교장 선생님이 맡았음.

래 배경지 관련 자료를 수집·정리하여 보고서를 완성하였다. 이 보고서를 토대로 2019년 4월 10일 안산시청 대강당에서 안산시 이기용 문화국장 외 81명이 참석한 가운데 '섬마을 선생님 노래 배경지로서의 지위와 향후 과제'란 주제로 포럼[6]을 개최하였다.

'섬마을 선생님' 노래 배경지의 확실한 근거 확보를 위하여, 2020년 2월 국민가수 이미자 선생님 팬클럽 나미주 회장을 만나 '섬마을 선생님 배경지 조사 보고서 및 포럼 자료와 언론 기사 스크랩 파일'을 이미자 선생님께 전해 달라고 부탁하였다. 아울러 대부도 대남초등학교 '섬마을 선생님' 노래 배경지 조사 내용, 공연 동영상, 노래비 건립 계획 등을 이미자 선생님 팬카페에 올려 공론화시켰다.

그리고 안산시 대부도 '섬마을선생님노래보존회'를 조직하여 대부도 여러 마을회관을 돌며 '섬마을 선생님' 노래 공연[7]을 하여 좋은 반응을 얻었다.

2019년 11월 중국에서 시작된 코로나19 팬데믹으로 인하여 많은 우여곡절이 있었으나, '대남초등학교 섬마을 총각 선생님 오신지 60년, 섬마을 선생님 노래 55년'을 즈음하여 섬마을 선생님 노래 배경지 노래비 건립 계획을 2020년 6월 19일 대부도 안산에코뮤지엄센터 회의 안건으로 상정하여, 대부도 주민과 음악인 그리고 대남초등학교동문회의 자발적인 모금 활동으로 2020년 8월 20일 오후 3시, 1960년 서강훈 총각 선생님과 80여 명의 지역 단체장과 주민이 참석한 가운데 '섬마을 선생님 노래비 제막식'을 거행하였다.

<2023 이미자 노래인생 60년 기념 안산 음악회 모습>

이미자 선생님과의 만남도 추진하여 2022년에는 인천문화예술회관의 「2022 이미자 노래 인생 60년 기념 음악회」와 일산 한류월드 JTBC 공개홀의 「이미자 특별감사 콘서트」 및 2023년 안산문화예술의전당의「2023 이미자 노래인생 60년 음악회」[8] 공연을 관람하였다. 나미주 팬클럽 회장의 도움으로 이미

---

6) 섬마을 선생님 노래 배경지 포럼; 격려사는 나정숙 시의원과 이기용 국장, 포럼 좌장은 이찬구 박사, 주제 발표는 신정웅 전 교장, 김선철 전 교장, 이군희 지회장, 토론은 한국학중연구원 허흥식 교수, '고장난 벽시계'의 박성훈 작곡가, '야인시대'의 박영록 배우가 '노래 배경지로서 발전 방향'을 제시해 줌.

7) 1960년대 초 탁○용 총각 선생님과 이○화 섬 색시가 살았던 마을 소재 행낭곡 회관(2018. 12. 23), 서강훈, 박○원 총각 선생님과 이춘자, 양○자 섬 색시가 살았던 마을 소재 중부흥 회관(2019. 01. 19), 말부흥(2019.02), 대남초등학교 '섬마을 선생님' 가요제(2019.06.29), 샛터마을, 영전동, 종현동 등을 돌며 코로나19 유행 전까지 '섬마을 찾아가는 문화탐방 음악회'를 열었음.

8) 2022년 10월 29일 인천문화예술회관 대공연장의 「2022 이미자 노래인생 60년 기념」 음악회에서 나미주 팬클럽 회장, 이군희 지부장, 김선철 교장이 이미자 선생님과 인사를 나누었고, 일산 콘서트 초대권도 받았다. 2022.11.03. 일산 한류월드 JTBC 공개홀의 「이미자 특별감사 콘서트」에서는 나미주 회장, 카페지기 회원 5명, 이군희 지회장, 김선철 교장, 김용현 조각가가 인사를 나누고, 기념사진을 찍었다. 2023.05.27. 안산문화예술의전당 해돋이극장의 「2023 이미자 노래인생 60년 기념」 음악

자 선생님을 만나 기념사진도 찍고, "대부도의 섬마을 선생님 노래 사업이 잘 추진되었으면 좋겠다"는 격려 말씀도 듣게 된다.

세계적인 코로나19 팬데믹(pandemic)의 어려움 속에서 대부도 이갑성 에코뮤지엄센터장, 양운영 주민자치위원장, 대남초등학교 강순식 동문회장과 졸업생, 대부도 각 단체장과 주민 및 안산 음악인들의 적극적인 격려와 지원 덕분에 '섬마을 선생님' 노래 배경지를 밝히고, '섬마을 선생님 노래비'도 건립할 수 있었다. 특히, 공사다망한 중에도 노래 배경지를 밝히기 위하여 대부도, 대이작도, 소야도 등을 오가며 동분서주해 주신 박명훈 의원님, 이군희 지회장님과 음악인 여러분, 신정웅 교장 선생님의 물심양면 지원에 감사드립니다.

이러한 적극적인 지원에 보답하는 길은 대부도 지역사회의 예술문화 콘텐츠 개발로 지역 문화 발전에 힘써, '섬마을 선생님' 노래에 대한 지역사회 주민과 음악인들의 염원을 승화·발전시키는 것이다.

B. 섬마을 선생님 노래 배경지

1. 숙명적(宿命的)으로 만난 김재형 선생님

교직 생활을 하며 즐겨 불렀던 '섬마을 선생님' 노래의 작곡가 박춘석 선생님과 작사자 이경재 선생님을 잘 알던 그 유명한 사극 '용의 눈물' KBS 김재형 전 PD님을 만나게 되리라고 꿈엔들 생각했겠는가? 지금 생각하면 '국민가수 이미자 선생님[9]의 3대 명곡 '섬마을 선생님' 노래 배경지가 대부도인 것'을 밝히라는 숙명(宿命)이 주어진 것으로 생각한다.

KBS 김재형 전 PD님을 뵙게 된 것은 '2010년 학교 숲 가꾸기 사업 추진'으로 과거 바닷가 주변에 많았던 해당화 300여 그루를 대남초등학교 화단에 심게 되었다. 식목일은 공휴일이라 그 다음 날인 4월 6일 심은 후 직원 몇 명과 학교 인근 '고랫부리 횟집'에 저녁 식사를 하러 갔는

<2010.04.06. 김재형 선생님을 만난 고랫부리횟집; naver캡쳐>

회에서 이대구 안산시 의원, 이군희 지회장, 김선철 교장 외 2명이 이미자 선생님을 만나 기념사진을 찍은 후 "섬마을 선생님 노래 사업이 잘 추진되었으면 좋겠다는" 격려 말씀도 들었음.

9) <백지은, silk781220 @sportschosun.com. 2010.03.20> 2010년 3월 19일 가수 이미자가 SBS '박춘석 추모 특집-패티 김, 이미자의 못다 한 이야기'에서 "나는 '섬마을 선생님,' '기러기 아빠,' '동백아가씨' 세 곡에 가장 애착이 간다고" 했다. 함께 출연한 패티 김은 "내가 생각하는 한국의 국민가수는 이미자와 조용필뿐"이라고 극찬했다.

데 여러 번 만난 적 있는 정○환 소장이 네 분과 식사하고 있었다.

정 소장; “교장 선생님, 이분 모르시나요?”
“우리나라 최고의 사극 드라마 KBS ‘용의 눈물[10)]’ PD인 김재형 선생님입니다.”
김 교장; “대남초등학교 교장 김선철입니다. ‘용의 눈물’ 정말 대단했지요? 훌륭한 분을 만나 영광입니다.”
김 PD; “반갑습니다. 어떻게 여기까지 오셨나요?”
김 교장; “대부도에서 사라진 해당화를 학교 화단에 300주 심고, 저녁 먹으러 왔습니다.”
김 PD; “그래요. 예전에 해당화가 엄청났지요?”
“섬마을 선생님 노래의 총각 선생님이 대남초등학교 선생님이었잖아요.”
김 교장; “정말인가요? 처음 듣는 이야기입니다.”

앉으라 해서 소주 몇 잔을 주고받았다. PD님이 고랫부리에 온 이유는 해뜨는 마을펜션 홍보 영상 제작 협의차 왔다고 하였다. 이 펜션 공사 책임자인 정○환 소장(所長)과 형·아우 하는 사이라 하였다.

김재형[11)] 연출가께서 ‘섬마을 선생님’ 노래는 대남초등학교가 배경지이다. 이 노래가 발표될 당시 대남초등학교 바닷가 모래 언덕은 해당화 군락지였을 뿐만 아니라 갯벌에 철새들이 많았다고 하였다. 방송국에서 함께 근무하였던 이경재 작사자 일행과 함께 소금 돛배를 타고 대부도에 왔다고 하였다.

<경기도 유일의 람사르습지 대남초등학교 앞 갯벌>

이 학교에 6년간 근무하며 보아 온, 해당화 피고 지는 섬마을, 섬 색시, 철새, 총각 선생님, 염전 풍경을 나타내는 구름도 쫓겨 가는 섬마을 등 학교 주변 환경과 노래 가사 말이 너무나 일치하였다.

2012년 2월 말 퇴직 후 학교 옆 동심마을에 살게 되었다. 2014년부터 3년간 ‘대부도 옛 지명의 유래와 이야기’ 찾기 사업[12)]을 추진하며 자료를 수집하는 과정에서도 대남초등학교 주변 어지

10) 용의 눈물; 연출 김재형, 극본 이환경, KBS1 1996.11.24.~1998.05.31. 159부작, 이성계의 조선 개국에서 세종조까지의 개국사를 그린 사극 드라마, 제작비 160억, 300명 출연, 방송 기간 19개월, 최고 시청률 49%, 평균 20%대를 기록함. https://ko.wikipedia.org/wiki/용의 눈물. 2023.12.
11) 김재형(金在衡), 1936.06.05.~2011.04.10. 74세, 대부도를 다녀간 다음 해 작고함.
12) 필자가 대부도해양생태해설사회 초대 회장을 맡은 후 2014~2016년 안산시좋은마을만들기 공모 사업으로 ‘대부도 마을 옛이야기 찾기’라는 주제로 응모하여 매년 150~200만 원씩 3년간 지원받아 대부도 옛이야기를 모았다. 여기서 수집된 자료는 ‘2015, 2016 대부도 섬마을 스토리텔링 안내서’ 30쪽과 39쪽에 ‘섬마을 선생님’ 노래 배경지 대남초등학교를 수록하였다. 이 책자는 300여 권 제작되어 안산 지역 보고회 참석자와 문화해설사 및 찾는 사람들에게 배부·홍보하였음.

현과 비룰 마을 노인분들도 대남초등학교 노래라 하였다. 이러한 내용을 '2015, 2016 대부도 섬마을 스토리텔링 안내서'에 싣고 홍보하였다.

2016년부터 안산시 문화관광해설사 활동을 하던 2018년 어느 늦은 봄날 안산시 박명훈 전 의원이 찾아와 '섬마을 선생님 배경지를 밝혀야 한다며, 증거자료를 함께 찾자고' 하였다. 생각해 보니 이제까지 수집해 놓은 자료가 아깝고 돕겠다는 인사(人士)가 있으니 구체적인 실증 자료를 찾아 매듭을 지어야 하겠다고 마음먹었다.

2018년 5월부터 8월 말까지 신정웅 교장 선생님 외 3명이 기획, 자문, 행정, 섭외 촬영 업무를 맡아 이 노래의 배경지와 관련된 분들의 집과 노인회관 등을 직접 찾아다니며 10여 명의 증언(證言)을 듣게 되었다.

2010년 4월 6일 김재형 연출가님께 듣게 된 '섬마을 선생님' 노래 배경지에 대한 증언을 뒷받침할 자료를 정리하여, 보고서를 꾸미고, 2019년 4월 10일 오후 2시 안산시청 대회의실에서 '섬마을 선생님 노래의 배경지 대부도 연구 성과 및 향후 과제'란 주제로 포럼을 개최하며 '섬마을 선생님' 노래 배경지가 안산 대부도임을 알리게 되었다.

2. 섬마을 선생님 노래의 증인 김재형 연출가

김재형; 金在衡, 1936년 충북 음성 출생, 직업 텔레비전 드라마 감독, 학력 동국대학교 국어국문학과 졸업, 1961년 서울중앙방송국[13]에 입사하여 40년간 250여 편의 드라마를 연출했으며, KBS 제작 부국장, KBS TV 본부 제작 위원 등을 역임했다. 어린이 연속극 '영이의 일기'를 시작으로 드라마 연출을 시작하였다. 국내 최초의 사극 연속극인 '국토 만리,' '사모곡,' '한명회' 등의 드라마를 연출하며 사극 전문 연출가로 이름을 알렸다. 특히 대표작 '용의 눈물'과 '여인 천하'는 높은 시청률을 기록하며 국민 드라마로 많은 사랑을 받았다. 제작비에 비해 시청률이 잘 나오지 않는다는 사극에 대한 고정관념을 깨었고 브리태니커 사전 1998년 판에 화제의 인물로 게재되기도 하였다. 2007년 SBS 드라마 '왕과 나'를 촬영하던 중에 췌장염으로 인한 건강 악화로 중도하차 한 것이 그의 마지막 TV 드라마 연출이 되었다[14]. KBS PD 김재형은 1965년 '섬마을 선생님' 노래 발표 당시 "작사자 이경재와 KBS 전신인 서울 중앙방송국에서 함께 근무하였고, 작곡가 박춘석은 KBS 연속극 등에서 함께 작업을 자주 한 가까운 사이였다고 하였다."

---

13) KBS(한국방송공사): 1927년 경성(京城)방송국(호출부호:JODK)으로 시작한 한국 방송은 1947년 정부 수립과 함께 중앙방송국으로 출발했다. 1953년 서울중앙방송국으로 개편했다. 1968년 3개 방송국(서울 중앙방송국, 서울 국제방송국, 서울 텔레비전방송국)을 통합하여 중앙방송국으로 다시 개편하고, 1973년 한국방송공사(KBS)로 출범하여, 1976년 여의도에 본사를 건립함.
NAVER 지식in.https://kin.naver.com/qna/detail.naver? 2023.07.22.

14) 위키백과 "http://ko.wikipedia.org/w/index.php?title=김재형&oldid=13239876"

C. 섬마을 선생님 노래

1. 이미자 선생님의 섬마을 선생님 노래

1965년에 발표된 노래 '섬마을 선생님'은 작사 이경재, 작곡 박춘석, 노래 이미자로 1966년 지구레코드에서 발매한 대 히트곡이다. 이 노래로 이미자 선생님은 1967년 문공부로부터 작곡상과 가창상 및 무궁화 훈장까지 받았다. '섬마을 선생님' 노래는 '기러기 아빠,' '동백 아가씨'와 함께 이미자의 3대 히트곡[15]으로 꼽히며 많은 사랑을 받았다. 하지만 1968년 12월 일본가요를 표절했다는 이유로 당시 방송윤리위원회에 의해 금지곡으로 지정된 바 있다. '동백 아가씨'는 왜색으로, '기러기 아빠'는 비탄조라는 이유로 금지했으나 '섬마을 선생님'은 달리 금지할 이유가 없었기에 표절로 몰아붙였다는 것이다. 당시에는 어떤 일본 노래 중에 어떤 곡이 '섬마을 선생님' 노래 뒷부분 한두 소절의 음계가 같다는 이유로 표절로 판정했다. 하지만 그 일본 노래는 '섬마을 선생님' 노래보다 나중에 나온 곡이어서 표절 가능성이 없었다. '섬마을 선생님' 노래를 위시한 이미자의 금지곡들은 1987년 해금되었다.

1966년 방송된 이경재 연출의 서울중앙방송 라디오 드라마 '섬마을 선생님'과 동명의 주제가였던 이 곡은 드라마의 인기를 타고 발매 일주일 만에 히트했다. 노래가 히트하면서 영화도 만들어졌다. 1967년 개봉한 김기덕 감독의 '섬마을 선생'은 박춘석이 음악을 담당했다. 당연히 이미자의 '섬마을 선생님'이 영화 주제가가 됐다. 이경재의 방송극을 원작으로 한 이 영화의 촬영지 옹진군 대이작도에는 촬영 기념비가 세워졌다.

2. 국민가수 이미자(李美子)

이미자 선생님[16]은 1941년 7월 22일 서울 한남동에서 부친 이점성 씨와 모친 유상례 씨의 가난한 집안에서 태어났다. 4살 때 할머니 슬하에서 성장했다. 10살 한국전쟁, 부산 피난 시절 국제시장 동아극장에서 인기가수 백난아의 공연을 보면서 가수의 꿈을 품었다. 국제시장의 노래 잘하는 아이 이미자는 주위의 소개로 미군 부대 위문공연 무대에 올라 몇 개월간 영어 가사로 번안한 아리랑을 불렀다.

휴전 후 종로 YMCA 자리에 선교단체가 천막을 치고 운영하던 학교와 청계천의 일성고등공민학교, 문성여중고를 다녔다. 당시 각종 노래 대회에 몰래 참가해 상품으로 큰 그릇, 대야, 양푼들을 받아왔다. 2학년 말에 나간 KBS 라디오 노래자랑대회에 교복을 입고 갔다가 학생 출전 불가라는 이유로 퇴짜를 맞자, 다음 날 새엄마 옷으로 갈아입고 출전하여 1등을 했다. 여고 졸업을 앞둔 1958년 최초의 민영 TV 방송 HLKZ의 예능 로터리에도 출전해 최고상을 받았다.

가수 남일해의 소개로 KBS 악단장인 작곡가 나화랑을 만나 라디오 쇼프로 '노래

---

15) 아시아경제 온라인 이슈 팀, 2014.02.18.
16) 가수 이미자. 여왕님 팬카페 게시판, https://cafe.daum.net/Leemijapanclub... 2023.11.20.

의 꽃다발' 출연, 1959년 데뷔곡인 '열아홉 순정'을 SP·LP음반을 발매하며 정식가수가 되었다. 1964년 작곡가 백영호의 추천으로 전속계약을 맺은 지구레코드는 미도파레코드에서 독립한 보따리장수 수준의 신생 회사였다. 1964년 여름, 선풍기 한 대가 전부인 녹음실. 임신 8개월 만삭의 무거운 몸으로 찜통더위와 싸워가며 '동백 아가씨' 녹음을 마쳤다. '동백 아가씨' OST 음반을 발매한 지구레코드는 인기 배우 최무룡의 '단둘이 가봤으면'을 타이틀곡으로 정했다.

영화 '동백 아가씨'가 온 나라를 울음바다로 몰아넣으며 흥행에 성공하자 상황은 급변했다. 타이틀곡은 뒷전이고 뒷면에 수록된 이미자의 노래 '동백 아가씨'만 연신 방송에서 흘러나왔다. 음반을 사려는 사람들이 구름처럼 몰려들고 전국의 음반업자들이 음반을 구하기 위해 아우성을 치자, 언론들은 가요계 판도를 뒤바꾸는 일대 사건이라고 흥분했다. 그렇게 무려 100만 장의 음반이 팔려나간 '동백 아가씨'는 35주 동안 인기 순위 1위를 점령하는 진기록을 세웠다. 1966년도엔 '흑산도 아가씨' 등으로 가요계를 석권하고, 1967년에는 최고의 히트곡 '섬마을 선생님' 등 무려 4곡이 연말 결산 톱 10곡에 선정되는 절정기를 구가했다.

무명 가수 이미자는 일약 신데렐라로 떠올랐다. 1964년 9월 첫딸 재은을 낳은 이미자는 1년 사이에 아담한 집과 자동차를 한꺼번에 마련할 만큼 부와 명예를 거머쥐었다. 1965년「섬마을 선생님 노래를 부를 당시 그의 나이는 24세, 첫돌이 지난 정재은을 안고 다니며 노래를 불렀다.[17]」

1965년 말 '동백 아가씨'가 왜색이 짙다는 이유로 방송금지가 되었고, 1968년 '섬마을 선생님'도 뒤를 이어 판매 금지당했다. 1969년은 끔찍했던 한 해, '기러기 아빠'가 또다시 방송금지 되었을 뿐 아니라 6월에는 대형 교통사고로 팔이 부러지고 얼굴이 찢어지는 중상을 입기도 했다.

금지곡 가수이면서 정상의 가수였던 그녀는 월남 파병부대 위문 공연단에 1순위로 뽑혀 다섯 차례나 파월 장병들의 눈물샘을 터뜨렸다. 이때의 공로로 1973년 방한한 티우 대통령으로부터 베트남 최고 훈장을 받기도 했다. 1968년에는 재일교포 위문차 두 번째로 일본 공연 길에 올라 후지 TV에 출연했다. 상복(賞福)도 유난히 많았다. 1964년부터 1970년까지 MBC 10대 가수상의 단골 수상자였고 그중 3번은 가수왕으로 등극하는 영광을 누렸다. 그녀가 받지 못한 가요계의 상은 없다고 보아도 무방할 것이다.

1987년 8월 '동백 아가씨', '유달산아 말해다오' 등 5곡이 한꺼번에 금지의 멍에에서 벗어났다. 생기를 되찾은 이미자는 1989년 10월 순수 예술계의 반발을 딛고 최초로 세종문화회관 무대에서 30주년 기념공연을 여는 쾌거를 이뤄냈다. 1991년엔 SBS DJ, 1997년에는 흑산도에 '흑산도 아가씨' 노래비가 세워지고, 1999년 노

---

17) 청암, 이미자의 '섬마을 선생님', 2018. 경향신문, 오광수 시인·대중음악평론가, 노래와 세상, 섬. 2021.08.23.

래 인생 40년을 총정리하는 기념 앨범과 자전 에세이를 발표하였다. 2002년에는 국내 가수로는 처음으로 평양 특별공연 등 그녀의 노래들은 역경의 삶에서 나오는 애절함과 꾸미지 않는 순수함으로 남북을 불문하고 한민족의 가슴을 울려왔다.

가요계의 대모로 65여 년 동안 국민 가수로 칭송받는 이유는 '당일날 곡을 받아 가사를 외우고 취입을 할 수 있는 유일한 가수'라는 작곡가 고봉산의 극찬처럼 실력 있는 가수이기 때문이다. 한국 대중가요의 산증인 이미자는 전통 가요의 맥을 잇는다는 자부심으로 여전히 무대에 올랐다.

크고 작은 봉사로 2009년 세계한인협력기구 국제친선대사, 2011년 '일본지진피해자돕기' 성금 모금, 2011년 '재능나눔콘서트,' 2013년 조끼 74장을 손수 떠서 불우 어린이들에게 기부, 2014년 MBC 창사특집 명사들의 사랑나눔콘서트에서 손수 만든 목도리 120개 기증, 2013년 파독 50주년 독일공연은 파독 광부와 간호사, 교민들에게 큰 감동을 주었다.

1995년 대한민국 문화체육관광부로부터 화관문화훈장, 1999년 보관문화훈장, 2009년 은관문화훈장, 2016년 제20회 만해대상의 문예대상, 2023년 10월 20일 대중음악인 최초로 금관문화훈장을 받았다.

3. 작사가 이경재

이경재[18]; 李慶載, 1928~2005. 4. 3(77세), 방송 작가, 서울 출생, 본명은 상훈(祥薰), 서울대학 치대(齒大) 졸업. 1965년 '섬마을 선생님' 노래 작사, '섬마을 선생님,' '난중일기,' '추적' 등 방송 드라마의 극본을 쓴 방송 작가, 1956년 단막극 '코'로 데뷔, 1958년 '별하나 나하나'로 등단 이후 '모란이 피기까지는' '검은 꽃잎이 질 때' '사랑의 종말' '동경 유학생' '서울 이야기' 등 다수의 작품을 집필하였다. 작풍(作風)은 미스터리 경향이 짙다. 1956년 KBS 인기 드라마 '청실홍실'을 연출했다. 이때 작곡가 손석우 선생은 중앙방송국(현 KBS)으로부터 국내 최초로 드라마 주제가 작곡을 제의받았다고 한다.

4. 작곡가 박춘석

박춘석[19](1930-2010); 본명 박의병(朴義秉), 서울 출생, 경기고등학교 졸업, 1949년 피아노 전공으로 서울대학교 음대 기악과에 입학하였다가 자퇴하였으며, 1950년 신흥대학교(현 경희대학교) 영문과로 편입하여 졸업하였다.

1950년 9·28 서울수복 후 대학생 신분으로 12인조 악단을 결성하여 충무로 은성 살롱에서 전속밴드로 활동하였고, 이후 미군 상대 클럽인 금천대회관 등의 무대에도 섰다. 대학 졸업 후 악단을 재정비하여 KBS 전신인 서울중앙방송 라디오 전속 경음악단으로 들어가 단장으로 활동하였다. 1954년 '황혼의 엘레지'란 곡을 발표하며 대중가요 작곡가로 데뷔하였고, 1955년 오아시스레코드사에 전속되면서 '아리랑

---

18) 중앙일보, 동아일보, 2005.04.04. 네이버 지식백과, Daum 백과, blog.daum.net/gorhf0722/57
19) 네이버 지식백과, 2019. 08.

목동,' '비 내리는 호남선' 등을 연달아 히트시키며 26살의 젊은 나이에 주목받는 작곡가가 되었다.

당시 미8군 무대에서 활동하던 가수 패티 김은 그가 만든 번안곡 '틸'과 '파드레'가 수록된 첫 독집 음반을 내며 유명해졌다. 이때부터 박춘석 악단을 이끌고 당대의 팝 가수들과 호흡을 맞추었으며 영화음악에도 진출하여 '삼팔선의 봄,' '가슴 아프게,' '섬마을 선생' 등의 영화 주제가를 만들었다.

1964년 지구레코드사로 옮기면서 트로트 곡들을 만들기 시작하며 음악 인생에 변화를 맞이하였다. 이때부터 가수 이미자와 인연을 맺으며 전성기를 구가하였는데 이미자와 콤비를 이뤄 발표한 곡은 '섬마을 선생님,' '흑산도 아가씨,' '황혼의 부르스,' '삼백리 한려수도,' '타국에서' 등 700여 곡에 이른다.

1954년 데뷔작을 발표한 후 1994년 8월 뇌졸중으로 쓰러질 때까지 그가 작곡한 곡은 무려 2,700여 곡에 이르며, 한국음악저작권협회에만 1,152곡이 등록되어 있다. 1994년 제1회 대한민국 연예 예술상, 1995년 옥관문화훈장을 수상하였고, 2010년 3월 16일 국내 대중가요 발전에 이바지한 공로로 은관문화훈장을 추서 받았다.

D. 노래의 가사와 소재(素材)

1. 섬마을 선생님 가사와 소재

<1절> 작사 이경재, 작곡 박춘석, 노래 이미자

해당화 피고지는 섬마을에~ /철새따라 찾아온 총각 선생님
19살 섬 색시가 순정을 바쳐 /사랑한 그이름은 총각 선생님
서울엘랑 가지를 마오 가지 마오

1절 가사의 소재; 해당화 피고 지는 섬마을과 학교, 철새와 총각 선생님, 19살 섬 색시와 순정, 사랑하는 사람을 서울로 떠나보내는 이별의 아픔과 눈물

<2절>

구름도 쫓겨가는 섬마을에~ /무엇하러 왔는가 총각 선생님
그리움이 별처럼 쌓이는 바닷가에 /시름을 달래보는 총각 선생님
서울엘랑 가지를 마오 떠나지 마오

2절 가사의 소재; 구름도 쫓겨가는 섬마을 소금밭, 그리움이 별처럼 쌓이는 바닷가, 섬 학교의 총각 선생님, 이별의 아픔과 눈물

2. 가사의 소재와 특성

(1) 해당화 피고 지는 섬 학교

해당화(海棠花, Rosa rubiginosa)는 장미과에 속하는 낙엽활엽관목이다. 흔히 매괴(玫瑰)라 부르기도 한다. 꽃이 아름답고 특유의 향기가 있어 관상식물로 좋다. 7~9장의 잔잎으로 이루어진 깃털 모양의 꽃은 5~7월에 피고, 8월부터는 주홍색 열매를 맺는다. 관

목(灌木)으로 1~1.5m의 높이로 자란다. 바닷가의 모래땅이나 산기슭에 군락을 형성하며 자란다. 어린 순은 나물로 먹고 뿌리[20]는 당뇨병, 치통, 관절염에 좋은 것으로 알려져 있으며, 꽃은 진통과 지혈은 물론 향수의 원료로도 사용한다.

<이슬비 내리던 날의 해당화>

토양의 종류를 가리지 않지만, 습도가 적당하고 비옥한 사질 양토에서 잘 자라며, 주로 해변의 모래땅에서 자생하는 염생식물이다. 노지에서 월동(越冬)이 가능하고 전국 어디서나 재배할 수 있다. 햇빛이 잘 드는 곳에 심는 것이 좋다. 가뭄에 잘 견디고 염해에도 강하다. 꽃말은 미인의 잠결, 이끄시는 대로, 온화, 원망이다.

해당화는 스승의 날인 5월 15일경 한 달간 절정을 이루며, 꽃이 가장 화려하고 향기도 좋다. 따뜻한 남해안은 키가 큰 동백나무 군락지가 많고, 강원도 명사십리, 경기(京畿) 대부도 등의 중부지방은 겨울에 온도가 낮아 바닷가에 키가 작은 해당화 군락지가 많다. 1960년대 대남초등학교 모래 언덕에는 해당화가 많았다. 특히 학교 건너편 느릿뿌리[21]와 큰 염전이 있던 흘곶 마을 앞 긴장불이[22]는 모래와 자갈이 많아 농사를 지을 수 없었고, 모래 언덕에는 넓은 해당화 군락지가 있었다고 한다.

<해당화길 1.9km; 샛터마을~섬마을선생님노래비>

(2) 섬마을과 섬 색시, 섬 학교와 총각 선생님

섬은 주위가 수역(水域)으로 완전히 둘러싸인 육지의 일부. 분포 상태에 따라 제도(諸島)・군도(群島)・열도(列島)・고도(孤島)로 나누며, 생겨난 원인에 따라서는 육도(陸島)와 해도(海島)로 나눈다. 학교가 있는 섬에는 인구가 많은 여러 개의 마을과 밀접한 관계가 있는 큰 섬이라야 한다.

1960년대 큰 섬마을에는 섬 색시도 많고, 큰 섬 학교(10학급 이상)는 3월 새 학기가 되면 여러 총각 선생님이 전근을 오고 간다. 특히 1960~70년대 경기도 소재

---

20) 해당화 뿌리를 매괴(玫瑰)라고 하며 독성이 있어, 반드시 임산부는 전문의의 진료 후 조제 복용해야 함.
21) 느릿뿌리; 낮은 언덕이 바닷가 방향으로 길게 늘어진 땅 모양을 말함.
22) 긴장불이; 모래와 자갈이 길게 늘어진 해안을 말함.

의 큰 섬에는 수도권 사범학교를 졸업하고 발령받아 1, 2년 근무하고 떠나는 총각 선생님이 많았다고 한다. 최근에는 출산 인구의 감소로 폐교되는 학교가 많아 학교 없는 섬이 늘어나고 있다.

(3) 철새 따라 찾아온 총각 선생님

철새는 계절에 따라 서식지를 이동하는 새를 말한다. 한국에서는 계절의 변화가 뚜렷해 다양한 철새를 볼 수 있다. 일반적으로 철새는 먹이가 풍부한 장소와 시기에 새끼를 기르며, 따뜻하고 먹이가 풍부한 장소에서 월동한다. 또 조류의 이동은 북반구를 기준으로 하여 몇 가지의 바닷새를 제외하고는 역방향의 이동은 거의 알려지지 않았다. 따라서 남방의 월동지(越冬地)에서 북방의 번식지(繁殖地)를 1년에 두 번 이동하는 셈이다.

<대남초교 앞 갯벌의 도요새 2008.05.14.>

물떼새류인 검은가슴물떼새는 여름의 번식지인 시베리아 서부 등의 북극권에서 오스트레일리아 및 뉴질랜드까지 장거리 이동을 하고, 미국의 검은가슴물떼새는 알래스카의 툰드라 지대에서 아르헨티나까지 13,000km의 거리를 여행한다. 이와같이 장거리를 이동하는 조류는 이 밖에도 알락꼬리마도요, 노랑부리백로 등이 있다. 이에 반하여 휘파람새 같은 떠돌이 새는 단거리를 이동한다. 나그네새는 번식지에서 월동지로 이동할 때 봄과 가을 두 번에 걸쳐 한 지방을 지나가는 철새이다. 물떼새류, 대부분의 도요과 새는 한국의 나그네새이다. 봄과 가을에 갯벌이 잘 발달하여 먹이가 풍부한 한국의 서해안에는 도요새 종류의 나그네새가 많이 지나간다.

대부도 대남초등학교 앞 갯벌[23]은 3월 신학기가 되면 철새, 특히 나그네새가 많이 오고, 1960년대에는 여러 총각 선생님이 발령받아 왔다가 섬 색시와 정이든 1~2년 후 나그네새처럼 떠나가는 총각 선생님을 붙잡고 싶었을 것이다.

(4) 구름도 쫓겨가는 섬마을의 염전

해당화가 피는 5월의 섬마을 염전은 구름도 쫓겨가 비가 오면 안 된다. 이 시기의 염전은 소금을 생산하는 염부(鹽夫)들의 손길이 가장 바빠지는 때이다.

<구름도 쫓겨가는 천일염전-대부도 동주염전>

천일염(天日鹽)은 염전에서 바닷물을

23) 대부도 대남초등학교 앞 고랫부리 갯벌은 해양수산부로부터 국가습지보호지역으로 지정(2017년 3월), 경기도에서 최초로 람사르습지로 등록(2018년 10월), 동아시아-대양주 철새 이동 경로 네트워크(EAAFP) 등재(2020.05.09.)되었음.

증발시켜 만든다. 천일염을 생산하는 과정은 갯벌에 논과 같이 사각형 모양의 얕은 가두리를 만들어 바닷물을 들이고 여러 날 동안 햇볕과 바람에 증발시킴으로써 천일염이 만들어진다.

<대남초등학교 체험교육용 염전 전경>

함수(鹹水)는 가급적 얕고 넓게 채워 증발과 침전이 잘 되도록 하고 결정(結晶)된 천일염을 긁어모아 소금 창고에 저장 혹은 그대로 시장에 반출·판매하는 경우도 있다. 1960~80년대 한국에서 염전이 가장 넓었던 곳은 경기도의 소래·군자 염전과 송산, 서신, 마도, 대부도 염전이었고, 전라도와 충청도 서해안에도 많았다. 대부도에는 36개의 염전[24])이 있었는데 그 중 21개는 대남초등학교 학구에 있어, 질 좋은 저염도 천일염을 생산하였다.

<대남초교 자염굽기 사진>

2006년에 대남초등학교 학생들의 갯벌·염전 특성화 교육과 체험학습을 위하여 공유수면점·사용허가를 받고, 교문 앞 갯벌에 학교 염전을 만들어 2022년까지 16년간 운영하였다.

구름도 쫓겨가야 하는 염전에 비가 오면 염전에 있는 엄청난 함수를 간수통에 집어넣어야 한다. 그렇지 않으면 2~3% 염도의 바닷물을 10~23%의 염도로 증발시켜 놓은 염수를 못 쓰게 되어 오랫동안 천일염을 생산할 수 없다.

요즈음은 모터가 있어 힘이 적게 드는데도 염전 바닥에 얇게 깔린 많은 함수(鹹水)를 모두 모아 도수별(度數別) 함수통(鹹水桶)에 퍼 넣는다. 비가 그치면 다시 그 물을 끌어 올려 함수 도수별로 염전 바닥에 얕고 넓게 깔아 다시 증발시킨다. 1960~70년대는 염부(鹽夫)들이 모두 수작업으로 하였으니 너무나 힘든 작업이었다.

'섬마을 선생님' 노래 2절의 첫 소절이 「구~름도 쫓겨가~는 섬~마을에」인데 여기서 이경재 작사자님의 예리한 관찰력과 '염부(鹽夫)들의 노고(勞苦)를 덜어 주려

---

24) 대부도의 염전; 대부북동-구봉도의 대봉, 구봉, 서호염전, 상동의 대흥, 상동, 시화, 태흥염전, 대부동동-까치섬의 용화, 대동염전, 솔따배기의 동주, 천일염전, 신당리 대종, 대창염전, 선감도의 경기염전, 탄도의 탄도염전, 대부남동-남 3리의 창하, 강거래, 대남염전, 흘곶의 이화, 금화염전, 흥성리의 천신, 대성, 만성, 홍성염전, 샛터의 중앙염전, 중부흥의 중부흥, 금당, 동일, 동립, 한신, 대흥, 백화염전, 말부흥의 대부, 대호, 광량, 유성염전 등 36개가 있었음.

는 배려의 마음이 숨겨져 있다고' 생각한다.

(5) 그리움이 쌓이는 바닷가 학교

<대남초교 학생의 염전 체험 모습>

바닷가는 경사져 있는 둑이나 해안부로서 간조와 만조 사이에 노출되는 부분으로 해안선을 따라 파도와 연안류(沿岸流)가 모래나 자갈을 쌓아 올려서 만들어 놓은 퇴적 지대로서 밀물 때와 썰물 때 파도의 작용을 크게 받아 형성된 수위와 지면이 접하는 경계 사이의 지역을 말한다. 한국 서해안은 갯벌이 잘 발달하여 연안 습지의 성격을 띠고 있다. 서해안의 연안습지는 대부분의 대규모 습지를 차지하며 파도나 민물에 의해 실려 온 토양 침전물이 유속이 느려짐에 따라 하류나 어귀 또는 하구에 넓게 침적되어 이루어지거나 해수에 의해 육지가 침식되어 이루어진 것들로 해안 갯벌이 대표적인 연안습지이다. 이곳에는 염분에 내성을 가진 염생식물이 분포하고 있다. 대남초등학교 운동장과 건물 주위를 굴착하면 땅속은 모래와 자갈이라 자연배수가 잘 된다.

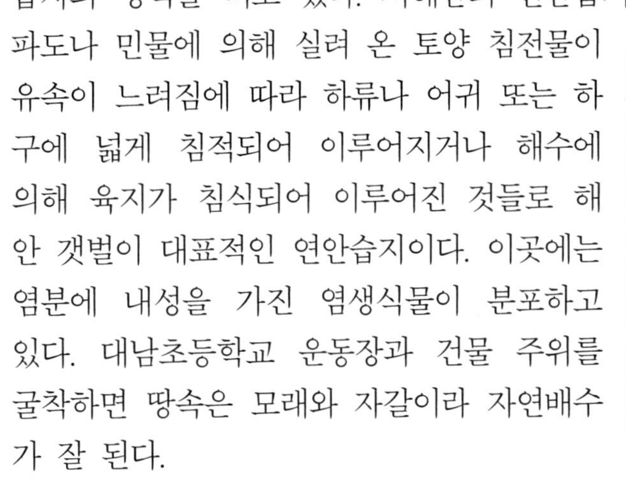

<1960~70년대 대남초등학교 정문 앞 바닷가의 자연·환경 보호 활동 모습>

(6) 별처럼 쏟아지는 바닷가 학교

바닷가 대남초등학교 북서쪽의 마을 이름이 '비룰 마을'인데 '비룰'은 충청도 바닷가에서 '별'을 '비울'[25]이라 하는데, 이 비울이 변음(變音) 되어 비룰이 되었다고 한다. 마을 사람들에게 여쭈어보니 대부도는 서산, 당진과 가까워 충청도에서 이주해 온 사람이 많았다고 하였다.

예로부터 대부도에는 부자들이 많았는데 '비룰 마을'에는 마름[26]이 많이 살았던 마을이라 집이 크고 방이 많아 총각 선생님들이 많이 거주하였다고 한다. 그리고 대남초등학교는 해송 숲이 학교를 감싸고 있어 밤이 되면 별이 잘 보여서, 2010년 겨울까지 운동장은 별 보기 좋은 학교[27]로 소문이나, 수도권에서 망원경을 들고 별을 관찰하러 오는 사람이 많았다.

---

25) 비울; 명사 '별'의 방언(충남), 어학사전 https://dict.naver.com
26) 마름; 지주를 대리하여 소작권을 관리하는 사람. 네이버 어학사전 https://dict.naver.com
27) 대남초등학교 운동장은 10m 이상의 소나무가 울타리처럼 둘러싸여 주변의 불빛이 차단되었기 때문에 별이 잘 보였으나, 2011년 길가에 많은 가로등이 설치되면서 망원경으로 별을 관찰하기 어려워졌음.

Ⅱ. 섬마을 선생님 노래 배경지는 어디?

1965년에 발표된 '섬마을 선생님' 노래[28]의 배경지라고 주장하는 곳은 ① 대부도 대남초등학교, ② 금당도 금당초등학교, ③ 하태도 하태초등학교[29](이하 하태분교), ④ 대이작도 계남분교, ⑤ 소야도 소야분교 이 다섯 섬의 주장 근거, 가사와 소재의 관련성, 작사자 일행의 접근성 등을 분석해 보았다.

A. 섬마을 선생님 노래 배경지라 주장하는 곳

1. 대부도 대남초등학교(大南初等學校)

① 근거; 박춘석 작곡가와 이경재 작사자를 잘 알았던 김재형 연출가가 2010년 4월 6일 대남초등학교 김선철 전 교장에게 증언하였다. 김재형 연출가는 "1960년대 초 KBS 전신인 서울중앙방송국 연출가였던 이경재 작곡가 일행이 대부도 대남초등학교[30]에 다녀간 후 '섬마을 선생님' 노래가 발표되었다[31]고" 하였다.

② 주소; 경기도 안산시 단원구 대남로 298(대부남동 1066-123)

③ 대부도 현황; 34.39㎢, 해안선 길이는 61㎞, 2022년 말 인구 9,392명, 서울에서 2시간, 수원에서 50분이면 닿는 대표적인 수도권 관광지[32]로 1960~80년대에는 염전이 36개가 있었다.

④ 대남초등학교 연혁; 1960년 6월 23일 대부초등학교 대남분교장 인가(認可)를 받아 4학급으로 개교 후, 1961년 4월 1일 6학급 인가(認可)로 대남초등학교가 되었다. 1982년 대남초등학교 병설유치원을 개원하였으며, 1990년 4월 10일 육도분교장이 폐교되었고, 1933년 사설 공민학교로 개교한 후 1986년 풍도분교장이 되었다가 2021년 1년간의 휴교(休校)를 거쳐 2022년 폐교(閉校)되었다. 2009년 2월 18일 제46회 졸업식을 통해 16명이 졸업하여 총 2,179명의 졸업생을 배출하였다.[33]

https://map.naver.com.....대남초등학교 캡쳐

---

28) 1965년 당시 이미자 씨는 24세로 '첫돌이 지난 딸 정재은을 안고 다니며 노래를 불렀다. 유차영(솔깃감동스토리연구원장) 그 노래 그 사연, 이미자의 '섬마을 선생님,' 농민신문 오피니언, 2017.08.02.

29) 하태분교; 1965년에는 하태초등학교, 1982년 3월 1일 분교로 격하되었음.

30) 국민학교는 1941년부터 1995년까지 사용했다. 시기상으로 완전히 폐지된 것은 1995학년도를 마무리하는 1996년 2월 29일로, 1995년 8월 11일 교육부 장관이 명칭 변경을 발표한 후 준비 과정을 거쳐 1996년 3월 1일부터 초등학교 명칭을 공식적으로 사용하였다

31) 김재형 연출가는 2010년 4월 6일 고랫부리횟집에서 해당화를 심었다는 이야기를 듣고, 대남초등학교 김선철 전 교장에게 말함.

32) [네이버 지식백과] 대부도[大阜島] (한국민족문화대백과, 한국학중앙연구원). 2019

33) 대남초등학교[大南初等學校] (한국향토문화전자대전) 2019. 한국일보, 2021.01.15.

⑤ 거리와 시간; 남산타워에서 대남초등학교까지 거리는 73km, 승용차 운행 시간은 1시간 46분이 소요된다.

⑥ 1960년대 초 서울 왕복 교통편; 마포나루 ⇒ 대부도 흘곶 소금 돛배 3~4시간, 대부도 진두선창⇒ 인천 2~3시간, 인천 ⇒ 서울 2~3시간 등 최소한 3~4일은 걸려야 다녀올 수 있었다.

⑦ 철새 도래지 및 해당화 군락지; 대부도는 섬 면적이 넓고 갯벌과 모래 언덕이 많았으나 교목(喬木)인 동백나무는 없고, 관목(灌木)인 해당화 군락지가 많았다. 그리고 대남초등학교 앞 '대부도 고랫부리 갯벌'은 2017년 3월 해양수산부로부터 국가습지보호지역으로 지정, 2019년에는 람사르습지로 등록, 2020 동아시아-대양주 철새 이동경로 네트워크(EAAFP)에 등재되어 개교 63년이 지난 지금도 많은 철새가 오고 있어 국제적으로 인정받는 '철새들의 중간 기착지이자 낙원(樂園)'이다.

2. 금당도 금당초등학교[34]

① 근거; 1965년 '섬마을 선생님' 노래 발표 다음 해인 1966년 KBS 라디오 드라마로 방송되었고 '섬마을 선생님' 노래의 주제가였던 이 곡은 드라마의 인기를 타고 발매 일주일 만에 히트했다. 라디오 드라마에서 폭풍우가 엄청나게 불던 늦은 밤, 난산의 아주머니를 태운 총각 선생님은 40분이 걸려 녹동항에 도착하여 아이를 순산한다. 금당도는 행정(行政)상 완도군이지만 전남 고흥군 녹동항에서 가까운 섬이다.

② 주소; 전남 완도군 금당면 금당로 220-23(육산리 260-1)

③ 금당도 현황; 면적 12.487㎢, 해안선 길이 37.4km, 2016년 인구는 506가구 1,044명이다.

2023.11. https://map.naver...금당초등학교 캡쳐

④ 금당초등학교 연혁; 1928년 10월 2일 사립 금당보통학교로 개교하였으며, 1953년 4월 1일 금당초등학교, 1996년 3월 1일 금당초등학교로 교명을 개명하였다. 1999년 3월 1일 차우분교장이 본교와 통합하였다. 2016년 현재 초등학생 29명이다.

⑤ 거리와 시간; 남산타워에서 금당초등학교까지 거리는 439km, 승용차 운행 및

---

34) 네이버 지식백과, 한국의 섬, 금당도, 2023.

승선 시간은 7시간 45분이 소요된다.

⑥ 1960년대 초 서울 왕복 교통편; 서울역 ⇒ 녹동항 1일, 녹동항 ⇒ 금당도 1일 등 최소한 6~7일은 걸려야 다녀올 수 있었을 것이다.

⑦ 철새 도래지 및 해당화 군락지; 금당도 등 남쪽 바닷가에는 동백나무는 많고 갯벌이 적어 철새가 적다.

3. 하태도 하태분교(下苔分校)[35]

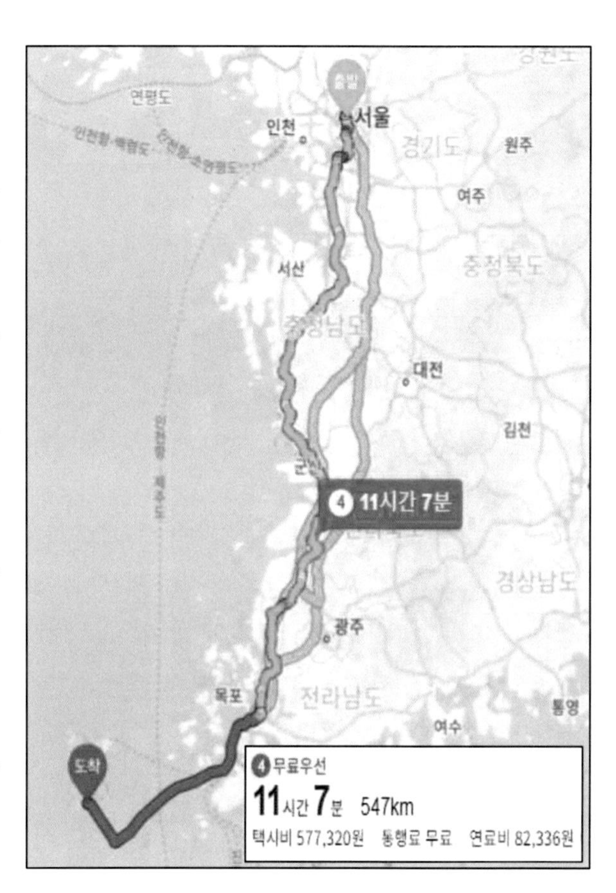

2023.11. https://map.naver... 하태분교 캡쳐

① 근거; 1967년 김기덕 감독의 '섬마을 선생' 영화 첫 부분은 베트남전쟁 파월장병의 귀국 상황, 1966년 말, 의학을 전공하고 베트남에 갔다가 돌아온 명식(오영일)은 부모님과 약혼녀 수연(안은숙)의 만류를 뿌리치고 남해안 하태도로 향한다. 베트남전에서 전사한 전우 동하가 낙후한 자신의 고향마을을 계몽시켜 달라고 남긴 유언을 지켜주기 위함이었다[36].

② 주소; 전라남도 신안군 흑산면 장굴길 43-2(태도리 284-2)

③ 하태도; 면적 2.31㎢, 해안선 길이 11.8km이며 인구는 82세대, 154명, 전라남도 신안군 흑산면에 있는 하태도는 태도군도 중 유일하게 해수욕장을 가진 섬이다.

④ 하태분교 연혁; 1951년 11월 22일 하태국민학교로 개교하였으며, 1982년 3월 1일 분교로 격하되었고, 1996년 3월 1일 흑산초등학교 하태분교장이 되었다.

⑤ 거리와 시간; 남산타워에서 하태분교까지 거리는 547km, 승용차 운행 및 승선 시간은 11시간 7분이 소요된다.

⑥ 1960년대 초 서울 왕복 교통편; 서울역 ⇒ 목포항 1일, 목포항 ⇒ 흑산도 1일, 흑산도 ⇒ 하태도 1일 등 최소한 8~9일은 걸려야 다녀올 수 있었을 것이다.

⑦ 철새 도래지 및 해당화 군락지; 하태도 등 남쪽 바닷가에는 동백꽃이 많고 갯벌이 적어 철새가 적다.

---

35) 네이버 지식백과, 한국의 섬, 하태도, 2023.

36) 유차영. 솔깃감동스토리연구원장, 농민신문 오피니언 [그 노래 그 사연] 이미자의 '섬마을 선생님' 2017.08.02.

4. 대이작도37) 계남분교

2023. 11. map.naver..계남분교 캡쳐

① 근거; 1967년 김기덕 감독의 '섬마을 선생' 영화의 주제곡이며, 영화를 촬영한 곳은 인천 옹진군 대이작도의 자월초등학교 계남분교다. 지금도 그곳에 가면 '섬마을 선생님' 노래비와 영화 마지막 장면, 섬 처녀가 서울로 떠나가는 선생님이 탄 배를 향해 손을 흔들던 문희 소나무가 관광객을 반긴다. 김기덕 감독은 이 영화의 분위기에 어울리는 섬을 찾기 위해 전국 방방곡곡을 헤매다 대이작도를 보고는 한눈에 반해 촬영지로 정했다[38]고 한다.

② 주소; 인천광역시 옹진군 자월면 대이작로 422-22(자월리 산164-1)

③ 대이작도 현황; 면적 2.571㎢, 해안선 길이는 18.8㎞, 인구는 2002년 현재 세대수와 인구수는 74세대 166명이다[39].

④ 계남분교; 1965년 당시 2~3시간마다 서울에서 인천까지 가는 화물열차에 달린 객차를 타고 다녔다. 인천에서 대이작도까지 하루에 한 번 있을까 말까한 목선을 타고 여섯 시간 남짓 걸려야 갈 수 있었다고 한다.[40] 2015년 현재는 폐교되어버린, 영화의 실제 무대였다는 '자월초등학교 계남분교'로 가자면 구불구불한 산길을 차에 의지해 10분 이상 타고 가야 한다[41]. 계남분교는 1988년 3월 1일 자월초등학교에 편입되고, 1999년 3월 1일 인천 용현남초등학교에 편입되었다[42].

⑤ 거리와 시간; 남산타워에서 계남분교까지 거리는 106km, 승용차 운행 및 승선 시간은 3시간 4분이 소요된다.

⑥ 1960년대 초 서울 왕복 교통편; 서울역 ⇒ 인천항 4시간, 인천항 ⇒ 대이작도 1일 등 최소한 5~6일은 걸려야 다녀올 수 있었을 것이다.

⑦ 철새 도래지 및 해당화 군락지; 대이작도의 교남분교는 바닷가에서 멀다. 갯벌도 좁아 철새가 적고 해당화 군락지도 넓지 않다.

---

37) 네이버 지식백과, 한국의 섬, 대이작도, 2023.
38) 영화(섬마을 선생)-대이작도 https://alzade.tistory.com/380 38) 2007.02.17.
39) [네이버 지식백과] 대이작도[大伊作島] (한국민족문화대백과, 한국학중앙연구원) 2023.
40) 천사투어 영화 <섬마을 선생>의 배경 이작도, http://1004tour.net 2004.03.26.
41) 영화(섬마을 선생)-대이작도 https://alzade.tistory.com/380 2007.02.17.
42) [네이버 지식백과] https://terms.naver.com/entry.naver...... 인천 용현남초등학교. 자월분교장(두산백과 두피디아, 두산백과) 2023.11.07.

5. 소야도 소야분교43)

2023.11. https://map.naver.com/...소야도 갭쳐

① 근거; 2019년 4월 10일 대부도 '섬마을 선생님' 노래 배경지 포럼 소식이 각 언론에 보도되자, 소야분교 개교 추진위원장 김태흥44)은 “대이작도보다 소야도에서 '섬마을 선생' 영화 촬영을 많이 하였다”고 하였다. 박명훈 의원과 김태흥 회장이 MBC 방송국에 있는 영화를 직접 확인한 결과 소야도에서 촬영한 것이 많음을 확인하였다.

② 주소; 인천광역시 옹진군 덕적면 소야로 188-14(소야리 236-1)

③ 소야도; 덕적도에서 동남쪽으로 0.6㎞, 인천에서 서남쪽으로 46㎞ 지점에 있다. 면적은 3.04㎢이고, 해안선 길이는 14.4㎞이다. 2010년 기준으로 인구는 247명(남 118명, 여 129명)이 거주하고 있으며, 세대수는 114세대이다45).

④ 소야분교: 인천시 남부교육청은 1999년 농어촌 학교 통폐합 일환으로 덕적초등학교에 1998년 3월 1일 소야분교장이 통폐합되었다. 이후 '상록수휴양원'에 임대하였다46). 1999년 3월 1일부터 덕적초·중·고가 통합 운영되고 있는데 2017년 3월 초등학교 7명, 중학교 5명, 고등학교 11명이 입학하였다.

⑤ 거리와 시간; 남산타워에서 소야도까지 거리는 99km, 승용차 운행 및 승선 시간은 2시간 57분 소요된다.

⑥ 1960년대 초 서울 왕복 교통편; 서울역 ⇒ 인천항 4시간, 인천항 ⇒ 덕적도, 덕적도 ⇒ 소야도 1일 등 최소한 5~6일은 걸려야 다녀올 수 있었을 것이다.

⑦ 철새 도래지 및 해당화 군락지; 소야분교는 바닷가에서 떨어져 있다. 이 섬에는 갯벌이 좁아 철새도 적고, 해당화 군락지도 적다.

6. 다섯 곳의 분석 결과

1960년대 초·중반 교통도 불편하고, 경제도 어려웠던 시절, 다섯 곳의 주장 근거나 섬의 크기, 학교 규모, 서울 총각 선생님의 부임, 작곡가의 접근성, 서울과의 거리 등을 고려한 결과는 다음과 같다.

① 1965년 '섬마을 선생님' 노래 배경지인 대부도 대남초등학교 학구(學區)에는 해당화 군락지와 철새가 많았다.

---

43) 네이버 지식백과, 한국의 섬, 소야도, 2023.
44) 김태흥, 2023.03. 덕적면 향우회장
45) 한국민족문화대백과사전 소야도 (蘇爺島) https://encykorea.aks.ac.kr/Article/E0030187
46) 김경원 기자, 포커스 인천, http://www.focusincheon.com/news 2023.03.03.

② 1966년 서울중앙방송국 '섬마을 선생님' 라디오 드라마 상의 '섬마을 선생님'은 전남 녹동항에서 40분 거리에 있는 섬이다. 금당도는 녹동항에서 카페리로 1시간이나 소요되는 섬인데, 바람이 많이 부는 날 동력목선(動力木船)에 난산의 임산부를 태우고 금당도에서 녹동항까지 가기는 어려웠을 것이다.

③ 1967년 촬영된 '섬마을 선생' 극본상의 배경지는 하태도로 너무 멀어 서울 총각 선생님의 부임은 어려웠을 것이고, 키가 큰 동백꽃 군락지로 인하여 해당화 군락지는 적었을 것이다. 그리고 갯벌이 좁아 철새도 많지 않았을 것이다.

④ 1967년 섬마을 선생 촬영지는 대이작도 계남분교와 소야도이다. 해당화 군락지는 조금 있었으나 갯벌이 좁아 철새도 많지 않았을 것이다.

⑤ 1967년 '섬마을 선생' 영화 촬영은 대이작도보다 소야도에서 많이 했다. 해당화 군락지는 조금 있었으나 갯벌이 좁아 철새는 많지 않았을 것이다.

B. 노래 가사의 소재와 배경지 환경의 적합성

1. 해당화 피고 지는 섬마을

대남초등학교 학구는 동쪽 끝 말부흥의 부항포구(浮港浦口)에서 서쪽 끝 흥성리의 망생이포구(望仙里 浦口)까지는 8km가 넘는다.

1965년 '섬마을 선생님' 노래가 발표될 당시 대남초등학교 주변 바닷가 이십여 리(8km)의 기다란 모래 언덕은 해당화 군락지[47]였다. 스승의 날이 다가오면 해당화가 만발하고 하얗게 핀 찔레꽃과 어울려 장관을 이루었다고 한다.

<해당화의 꽃은 하루 반이면 지고 다시 핌>

특히 해당화와 찔레꽃은 향기가 좋아 벌과 나비들이 몰려와 뒹굴며 꽃가루를 붙이고 꿀을 물고 간다. 해당화꽃은 너무나 아름답고 향기롭지만, 하루 반이면 피고 져서 꽃 주변에는 꽃봉오리가 가득해진다. 5월부터~6월 초까지 꽃이 많이 피고, 가을까지 열매가 익어가며 바닷가를 아름답게 꾸며 준다.

학교와 비룰[48] 마을 앞 바닷가에는 철새가 많이 찾아왔다. 맑은 날 학구 내 21개 염전은 온통 하얀 소금꽃이 피었다. 특히 소금이 많이 나는 4~6월의 대부도는 구름도 쫓겨가 씨앗 심을 농부들의 애간장을 태웠었다.

2. 철새 따라 찾아온 총각 선생님

대남초등학교 앞 바다는 갯벌이 넓고 다양한 염생식물과 저서생물이 서식하여 ①

---

47) 해당화 군락: 대부도 흘곶마을에서 말부흥까지 특히 많았는데 해당화 군락이 없어진 이유는 당뇨 특효약이라며 포크레인으로 캐가 멸종되었다. 최근에 '섬마을 선생님' 해당화 길도 조성하고 고랫부리로 가는 바닷가에 많이 심었다.

48) 비룰마을: 비룰 마을 주변은 별이 잘 보였다. 충남 사투리인 '별'이 '비울'이데 이것이 변음되어 비룰이 되었다.

해양수산부 지정 연안습지 보호구역, ②경기도 유일의 람사르습지, ③동아시아-대양주철새이동경로네트워크(EAAFP)에 등재되었다. 대부도 갯벌은 저어새, 알락꼬리마도요, 붉은어깨도요, 검은머리물떼새, 큰뒷부리도요 등 국제 멸종위기 종의 중간 기착지이자 철새의 보금자리로 중요한 역할을 하는 곳이다[49]. 특히 대남초등학교 앞 갯벌은 먹이가 풍부하고, 갯벌의 지표는 높고 펄이 깊어, 사람들의 접근이 어려우므로 이곳을 서식지로 이용하는 조류인 노랑부리백로, 저어새, 민물도요, 마도요 등 다양한 철새들이 안전하게 먹이활동을 하기 좋은 연안습지이다.

구분 연월일	역대교장	연혁사항
1960 6.23		대부국민학교 대남분교 인가 3학급
1961 4.1		대남국민학교 인가 6학급편성
1961 8.23	1대 정관호 취임	
1961 11.1		사택준공 (1동)
1962 3.1		7학급 편성
〃 5.5		보건장 확장 완공
62 6.24		변소 준공
63 3.1	2대 유근학 취임	9학급 편성
1964 3.1		10학급 편성
1964 5.18		교사증축 (3교실)
1965 3.1	3대 최태영 취임	11학급 편성
1966 3.1	4대 한용현 취임	
8.31		교사증축 (2교실)
1967 7.31		교사증축 (1교실)
1968 3.1	5대 유학종 취임	
1969 3.1		12학급 편성

<1960년대 대남초등학교 연혁>

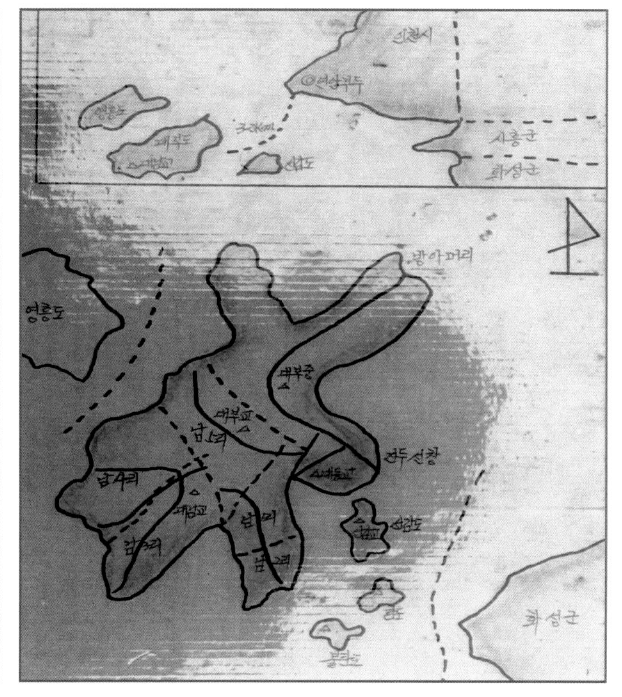

<학구도에 진두선창, 인천, 시흥-화성이 보임>

1965년경의 학교 연혁(沿革)에 교장 선생님도 1~2년마다 전출하는 등 선생님들의 이동이 잦았다. 철새들이 찾아오는 2~3월은 선생님들의 인사이동(人事移動) 철인 학년말과 신학기이다.

대남초등학교 연혁(沿革)과 졸업생들의 증언에 의하면 1964년 10학급 600여명, 1965년 11학급 700여 명이었다고 한다. 1960년대 대남초등학교 앨범에 있는 학구도에 대부도 진두선창, 인천 연안부두(沿岸埠頭)와 화성시[50]가 보인다. 이 학교에 근무하는 선생님들은 인천항과 화성시를 통하여 인천, 서울이나 수도권 여러 지역으로 오갔음을 알 수 있다. 당시의 선생님들이 얼마나 육지의 고향 집이 그리웠으면 화성시와 시흥시 그리고 인천 연안부두까지 학구도에 그려 넣었을지 짐작이 된다.

1960~70년대 학교 화단과 학교 앞 바닷가 언덕에 총각 선생님들이 나무를 심었

49) 2020년 안산톡톡 6월호, 대부도 갯벌, 동아시아-대양주 철새 이동경로 네트워크(EAAFP) 등재, p.07.
50) 화성시: 1960~1990년대 시화방조제가 완성되기 전에는 화성군으로 대부도에서 배를 타고 오갔음.

는데, 지금은 아름드리 솔밭이 되었다.

<총각 선생님이 화단에 나무를 심는 모습>

<선생님들이 나무를 심는 모습>

3. 그리움이 별처럼 쌓이는 바닷가 학교

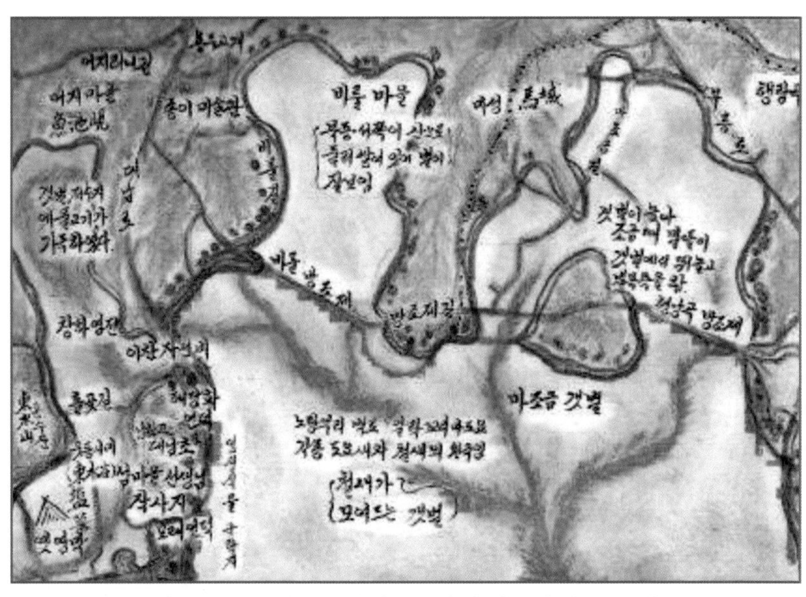

<그리움이 별처럼 쌓이는 바닷가 대남초등학교>

선생님들은 비룰 마을에 많이 기거(起居)하였는데 밤이 되면 별이 잘 보였고 신학기에 부임한 총각 선생님들은 학교 앞 바닷가에서 노래를 부르며 애인 생각, 고향 생각, 부모님 생각을 하였을 것이다.

대남초등학교 많은 총각 선생님 중 세 선생님이 섬 색시와 결혼했다. 마조금 마을 서강훈 총각 선생님과 수영목 마을 섬 색시 이춘자의 애간장을 태운 사랑 이야기, 중부흥 각큰재 마을 박○원 총각 선생님과 양○자 섬 색시의 꽃병 사랑 이야기, 학교 사택 탁○용 선생님과 학란곡 멍골 마을 이○화 섬 색시의 중매결혼 이야기 등 섬 색시와 총각 선생님의 결혼 소문으로 떠들썩했다고 한다.

2018년 8월 27일 '섬마을선생님배경지추진위원회'에서 조사한 증언을 종합하여 그린 대남초등학교 주변 '섬마을 선생님 노래 배경지 이야기 지도'에는 '섬마을 선생님' 노래를 작사한 이경재 일행이 도착한 '긴장불이' 해변과 두몽, 작사자 일행의 도보길, 해당화 군락, KBS 김재형 전 PD님으로부터 대남초등학교가 배경지라 들은 고랫부리횟집, 학구 내 21개의 염전, 결혼한 총각 선생님과 섬 색시가 살던 마을 등이 나타나 있다.

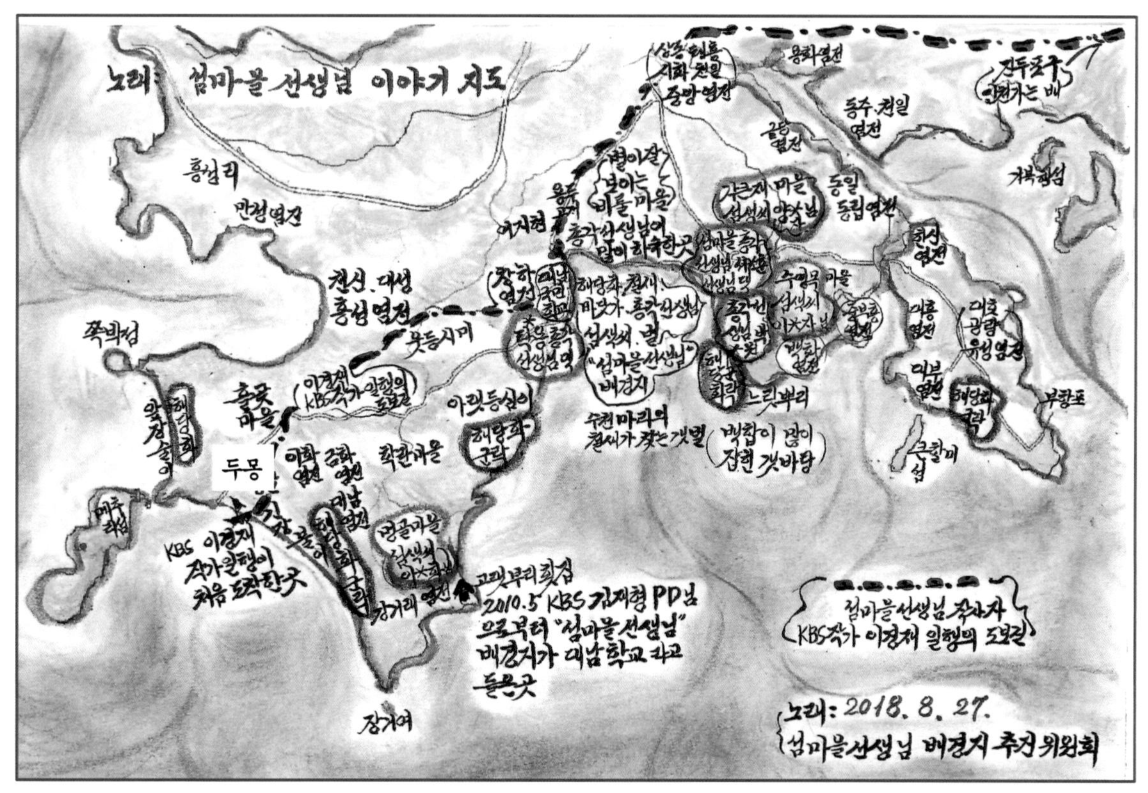

<대남초등학교 주변 '섬마을 선생님 노래 배경지' 이야기 지도>

4. 구름도 쫓겨 가는 섬마을 염전

1960~70년대에는 소금값이 쌀보다 2~3배 더 높았다. 그 귀한 소금을 많이 생산하여 부자가 되는 길은 햇볕이 강해야 한다. 반면에 해당화가 피는 5월은 농촌에서 밭에 씨앗을 뿌리거나 모종을 하고, 논에는 모내기도 한다. 논밭에 비가 오려면 구름이 쉬어가야 한다.

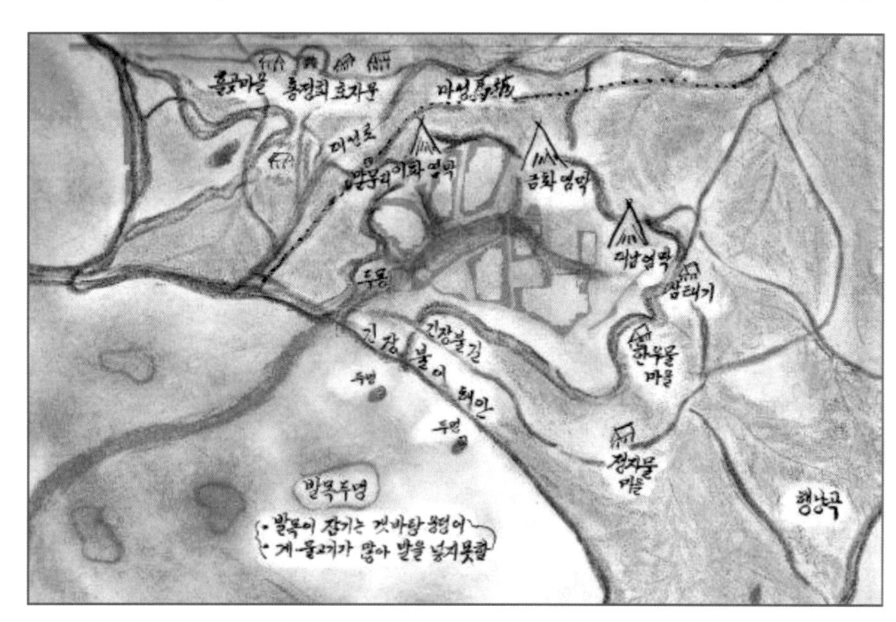

<긴장불이 해안의 수만 평의 해당화 군락지와 염전(鹽田)·염막(鹽幕) 이야기 지도>

그러나 5월의 염전에 비가 오면 바닷물을 증발시킬 수 없어 소금이 생산되지 않으므로 구름이 쫓겨가야 하는 것이다.

1960년대 중반까지 생산된 천일염을 소금 돛배에 싣고 사리 때 마포나루, 영등포까지 가서 판매하고 돌아오는 길에는 서울 손님들이 배를 타고 놀러 와 손님 대접을 자주 하였다고[51] 한다.

1980년대까지 봄이 되면 흘곶 마을 앞 긴장불이 해안에는 낙지, 꽃게, 바지락, 맛 등 해산물이 많이 잡혀 인심이 아주 좋았다고 한다. 노인들의 말에 의하면 “못 잡아서 안 가지고 온 것이 아니라. 가져올 수 없어서 안 잡았단다.”

<‘섬마을 선생님’ 노래 작사자 일행이 도착한 흘곶 마을 앞 긴장불이 해안은 해산물이 많았음 >

C. 장르별 '섬마을 선생님' 노래 배경지

1. TV에 방영된 '섬마을 선생님' 노래 배경지 대부도 대남초등학교

2016년 6월 5일 SBS ‘생방송투데이, 무작정 만난 그대’와 2016년 6월 6일 SBS ‘모닝와이드’에 1960년대 대남초등학교가 ‘섬마을 선생님’ 노래 배경지로 소개되었다.

<SBS ‘생방송투데이, 무작정 만난 그대의 ’대남초교 ‘섬마을 선생님’ 노래 배경지>

2018년 8월 21일 「KBS2 아침이 좋다. 통통통 섬마을」에서 대남초등학교 염전,

51) 홍사의(전 어촌계장, 집너머길) 씨의 고조부와 부모님 생전 50년대 말까지는 자염을 생산하였고, 광복 전후에는 현재와 같은 방법으로 소금을 생산한 이화염전을 운영하였다고 함. 이구영(1940, 대부남동)

대부도 옛이야기 지도, '섬마을 선생님' 노래 배경지로 방영(放映)되었다.

<2018.08.21. KBS2 '아침이 좋다. 섬마을 통통통'의 대남초등학교>

전국적으로 세 번이나 '섬마을 선생님' 노래의 배경지가 대부도의 대남초등학교라고 공중파 방송을 탔음에도 아무런 항의나 반대 의견이 없었다. 이것은 대남초등학교 외에는 이 노래의 배경지가 아니기 때문이다.

2. 1966년 KBS 라디오 드라마의 배경지 금당도 금당초등학교

1965년 '섬마을 선생님' 노래는 가수 이미자 씨가 불렀다. 노래가 발표된 다음 해인 1966년 KBS 라디오에서 이경재 연출 '섬마을 선생님' 드라마가 방송되었다. 주제가는 이미자 씨가 불렀으며 이 드라마의 인기를 타고 1966년 음반 발매 일주일 만에 빅히트했다.

라디오 드라마의 배경지로 알 수 있는 대본 내용은 폭풍우가 엄청나게 불던 늦은 밤, 난산의 아주머니를 태운 선생님은 40분이 걸려 녹동항에 도착하여 아이를 순산한다. 따라서 KBS 라디오 드라마의 배경지는 전남 고흥군 녹동항 주변 어느 섬이다. 경치가 아름다운 '금당도'라고 주장하는 사람이 있다. 그런데 지금도 금당도는 녹동항에서 카페리 여객선을 타고 1시간 정도 걸린다. 폭풍우가 부는 날 임산부를 동력목선(動力木船)에 태운다는 것은 배가 좋은 지금도 어렵기 때문에 이야기일 뿐이라 생각한다.

1960년대는 육로 교통이 불편하고 해상교통은 동력목선(動力木船)으로 더욱 불편하여 '섬마을 선생님' 작사자 일행이 먼 남쪽 섬을 가기 어려웠을 것이다. 남쪽 섬에는 동백꽃이 많아, 키가 작은 해당화 군락은 형성되기 어렵다. 바다가 깊고 갯벌이 좁아 물갈퀴가 없는 노랑부리백로, 도요새 등의 철새가 머물렀다 가기 어려운 자연환경이다. 특히 구름도 쫓겨 가는 염전은 녹동항 주변의 섬에는 찾아보기 어렵다. 따라서 대부도 대남초등학교에 비하여 노래 가사와 일치되는 면이 부족하다.

3. 1967년 영화의 배경지 남해안 하태도 하태분교

1965년 '섬마을 선생님' 노래가 발표되고, 1966년 라디오 드라마로 방송되었다.

이 드라마의 인기를 타고 노래가 빅히트하면서 1967년 '섬마을 선생' 영화도 만들어졌다. 1967년 개봉한 김기덕 감독의 '섬마을 선생'은 박춘석이 음악을 담당했다. 당연히 이미자 씨의 '섬마을 선생님'이 영화 주제가가 되었고 시나리오는 KBS 라디오 드라마 작가 이경재의 원작을 바탕으로 하였다.

대본을 살펴보면 영화 첫 부분은 베트남전쟁 파월 장병이 귀국하는 1966년 말이었다. 의학을 전공하고 베트남에 갔다가 돌아온 명식(오영일)은 부모님과 약혼녀 수연(안은숙)의 만류를 뿌리치고 남해안 하태도로 향한다. 베트남전에서 전사한 전우 동하가 낙후한 자신의 고향마을을 계몽시켜 달라고 남긴 유언을 지켜주기 위함이었다.

따라서 '섬마을 선생' 배경지는 남해안 하태도로 목포에서 배를 타고 흑산도를 거처 하태도까지 가야 하는 머나먼 남쪽 섬이다. 우리가 일반적으로 알고 있는 목포에서 배를 타고 가야 하는 배경지 하태도는 '섬마을 선생' 영화 시나리오상의 배경지이다.

1960년대 하태도는 육로 교통이 불편하고 해상교통은 동력목선(動力木船)으로 더욱 불편하여 '섬마을 선생님' 작사자 일행이 흑산도에서도 먼 남쪽 하태도를 가기 힘들었을 것이고, 1960년대 KBS 직장인으로서는 더욱 어려웠을 것이다. 하태도 같은 남쪽 섬에는 동백꽃이 많아 키가 작은 해당화 군락지는 형성되기 어렵다. 백사장이 넓고 바다도 깊어 물갈퀴가 없는 노랑부리백로, 도요새 같은 철새가 머물기 어려운 자연환경이다. 특히 구름도 쫓겨 가는 염전은 하태도에 없으므로 대부도 대남초등학교에 비하여 '섬마을 선생님' 노래 가사와 일치하는 자연 생태·환경적인 면이 부족하다.

4. 1967년 영화의 촬영지 대이작도 계남분교

김기덕 감독은 '섬마을 선생' 영화의 분위기에 어울리는 섬을 찾기 위해 전국 방방곡곡을 헤매다 대이작도를 보고는 한눈에 반해 촬영지로 정했다고 한다[52]. 1967년 김기덕 감독의 '섬마을 선생'의 주제곡은 가수 이미자가 부른 '섬마을 선생님' 노래이다. 영화를 촬영한 곳은 인천 옹진군 대이작도의 자월초등학교 계남분교다. 지금도 그곳에 '섬마을 선생님' 노래비와 영화의 마지막 장면, 섬 처녀가 서울로 떠나는 총각 선생님이 탄 배를 향해 손을 흔들던 문희 소나무가 있다.

5. 1967년 영화의 촬영지 소야도 소야분교

김기덕 감독은 '섬마을 선생' 영화의 분위기에 어울리는 섬 옹진군 대이작도와 덕적도 옆 소야도에서 반 이상을 촬영했다고 소야도 주민들이 주장하고 있다. 1960년대 대이작도와 소야도는 인천에서 하루에 한 번 있을까 말까한 목선(木船)을 타고 여섯 시간이나 걸려야 갈 수 있었고, 해무(海霧), 바람, 파도 등의 영향으로 작

52) 청암 유차영; 솔깃감동스토리연구원장, 한국콜마(주) 이사, 이미자의 '섬마을 선생님'

은 목선이 출항하지 못하는 날이 많았다고 한다. 그때 서울중앙방송국 직장인인 이경재 작사자 일행이 섬 유람(遊覽)을 하기 매우 어려웠을 것이다. 그리고 이 섬은 백사장이 좋으나 바다가 깊어 얕은 곳에서 먹이를 찾아야 하는 물갈퀴가 없는 노랑부리백로, 도요새 등은 먹이 부족으로 이 섬에 머물기 어려웠을 것이다. 특히 구름도 쫓겨가는 염전은 갯벌이 적은 소야도에 없다. 따라서 대부도 대남초등학교에 비하여 노래 소재와 일치되는 면이 적다.

D. 지역사회와 자연 환경적 측면에서 노래 배경지에 대한 결론

국민가수 이미자 선생님의 3대 명곡 '섬마을 선생님'의 배경지가 대남초등학교라는 증언을 KBS 김재형 전 PD로부터 2010년 4월 6일 듣고 2015년 1월 1일~2018년 12월 31일까지 4년간 조사 연구한 결과로 얻은 결론은 다음과 같다.

첫째, '섬마을 선생님' 노래 작곡가 박춘석, 작사자 이경재 연출가와 호형호제(呼兄呼弟)한 사이였던 KBS 김재형 전 PD의 증언, 1960년대 당시의 지역사회와 자연 환경적 측면, 지역주민들의 증언 등을 고려하면 대남초등학교가 '섬마을 선생님' 노래의 배경지로 적합하다.

둘째, 1960년대 초·중반에 대남초등학교 총각 선생님 세분이 열아홉 섬 색시와 결혼을 한 이야기도 '섬마을 선생님' 노래와 비슷하므로 그 배경지라 할 수 있다.

셋째, 1960년대 대남초등학교 연혁(沿革)에서 철새가 이동하는 봄에 총각 선생님들이 오가고, 학구도(學區圖)에 대부도 진두선창에서 인천 연안부두와 화성시를 통해 육지로 오간 학구도가 있어 이별의 아쉬움이 담긴 노래의 배경지임을 증명해 준다.

넷째, 대부도에 다녀간 '섬마을 선생님' 노래 작곡가 일행은 1960년대 중반까지 천일염과 젓갈 및 해산물 등을 싣고 마포나루까지 오간 대부도의 소금 돛배를 타고 흘곶 긴장불이 해안 두몽으로 왔을 가능성이 높다.

그러므로 1965년 발표된 '섬마을 선생님' 노래의 배경지는 대부도이고, 1966년 서울중앙방송국(현 KBS) 라디오 드라마의 배경지는 전라남도 고흥군 녹동항에서 동력목선(動力木船)으로 40분 거리에 있는 섬 금당도[53]이며, 전라남도 신안군 하태도는 1967년 '섬마을 선생' 영화 대본상의 배경지이고, 인천시 옹진군 대이작도와 소야도는 이 영화의 촬영지이다.

53) 2021년 현재 녹동항에서 금당도까지 카페리호로 1시간 소요 됨.

Ⅲ. 노래 배경지 대남초등학교 증언

A. 연구의 기간

2015년 1월 1일~2018년 12월 31일(4년간)

B. 연구의 절차

단계	절 차	기 간	비 고
준비 단계	연구 문제 설정	2015.01.01.~2015.06.30.(6개월)	배경지의 주장 근거에 따라
	문헌 연구	2015.07.01.~2015.12.31.(6개월)	인터넷, 문헌 등 조사 분석
	타당성 분석	2016.01.01.~2016.01.31. (1개월)	예비조사 자료에 의한 분석
조사 검증 단계	조사 계획 수립	2016.02.01.~2018.02.28.(25개월)	조사 실천 가능한 계획 수립
	연구의 실천	2018.03.01.~2018.10.31(2년8개월)	온라인 검색, 대면 조사, 녹화
	결과분석 및 검증	2018.11.01.~2018.11.30.(1개월)	연구 결과 검증 분석
	보고서 작성	2018.12.01.~2018.12.31.(1개월)	의견 수렴 협의 보완 작성

C. 연구의 방법

1. 조사 방법

'섬마을 선생님' 노래 관련 자료를 대면, 온라인, 문헌 등의 자료로 조사한다.

2. 배경지의 문헌 조사

'섬마을 선생님' 관련 노래, 드라마, 영화, 인터넷, 문헌 등의 자료를 조사한다.

3. 현장 면담

1965년 '섬마을 선생님' 노래 발표 당시의 시대적·환경적 배경 등을 고려하고, 배경지의 증언이나 근거가 타당하다고 생각되는 것을 중점적으로 조사한다.

(1) 증언 및 면담자 약력

① 김재형 연출가를 만난 사람; 김선철 전 교장은 2005.09~2012.02.까지 6년 6개월간 대남초등학교 근무

② 김재형 연출가를 만난 사람; 전 고랫부리횟집(현 고랫부리바지락칼국수) 김순라 사장

③ 총각 선생님 마을, 하숙집과 손님 이야기; 비룰마을 김대환 전 통장님

④ 졸업생 증언; 대남초등학교 졸업생 이재복 군자농협 이사, 양○주 총동문회 총무

⑤ 대부도 근무 선생님 증언; 신정웅 전 교장 선생님-대부도가 고향, 70년대 초 대부도 대동초등학교, 인천간석초등학교 교장으로 퇴임

⑥ 대남초등학교 개교 당시 근무 총각 선생님; 서강훈 기호일보 회장님-부천교육청에서 대부초등학교로 발령받아 1960년 6월 대남분교 개교 당시 대남초등학교 근무 총각 선생님

⑦ 마포나루-흘곶 소금 돛배 선장; 1960년대 초중반 이구영 소금 돛배 선장님

⑧ 1960년대 학교 상황, 지역 환경, 섬마을 역사 증언; 행낭곡 및 중부흥경로당 회원

⑨ 시화호와 대부도 조류 철새 전문가; 안산갈대습지공원 최종인 안산시청 공무원

(2) 현장 조사 업무 분담

기획·집필; 김선철, 자문·감수; 신정웅, 행정·섭외; 박명훈, 증언 촬영; 이군희

(3) 결론 도출

'섬마을 선생님' 노래 배경지 소재 관련성, 작사자 일행의 접근성 등을 고려한 타당성 조사·분석 자료에 의하여 결론을 도출한다.

D. 노래의 배경지 대남초등학교 관련 증언

1. 노래 배경지 증언을 들은 사람

식목일 다음 날인 2010년 4월 6일 저녁 대남초등학교 근처 바닷가 '고랫부리횟집'에서 KBS 김재형 전 PD님으로부터 '섬마을 선생님' 노래의 배경지는 대남초등학교이다. 그 학교 총각 선생님이 노래 속 주인공이라는 증언을 듣게 된, 대남초등학교 김선철 전 교장 선생님이 전(傳)한 주요 내용은 다음과 같다.

[증언 내용] 2010년 4월 6일 예전에 학교 주변에 많았던 해당화를 300여 그루 심었다. 그날 저녁 대남초등학교에서 가장 가까운 '고랫부리횟집'에서 해뜨는마을펜션 공사 정○환 소장 외 3명이 저녁을 먹고 있었다. 예전부터 여러 번 술자리를 같이했던 정 소장이 KBS '용의 눈물' 김재형 PD님을 소개해 주었다. 이 펜션의 광고 촬영 협의차 왔다고 하였다. 정 소장과는 예전부터 호형호제하는 사이라 했다.

예전에 많았던 해당화를 학교에 심었다고 하였더니 '섬마을 선생님' 노래 배경지는 대남초등학교라며 모르냐고 했다. 덧붙여 이 노래 속의 총각 선생님도 교장 선생님 학교 '총각 선생님'이라 하였다.

'섬마을 선생님' 노래의 배경지는 대남초등학교이고, 그 학교 총각 선생님이 노래의 주인공이라고 증언한 KBS 김재형 전 PD님의 말이 의심되었다. 이전에는 '목포 주변 어느 섬'인 줄 알고 있었기 때문이다.

<2016.06.20. 대부 옛 이야기 현장 확인 모습>

"그 당시는 교통이 불편하여 오기 힘들었는데 어떻게 대남초등학교 쪽으로 오게 되었느냐"고 여쭈었더니 "쉽게 바로 오는 방법이 있었다고" 하며 "너무 묻지 말고 술이나 한 잔 더하라고" 해서 촬영을 오면 그때 여쭈어볼 심산으로 자세히 묻지 못했다.

그런데, 1년이 지난 어느 날 TV 뉴스를 보고 놀랐다. '용의 눈물' 연출가인 김재형 님이 작고하였다는 것이다. 그때 머리를 스쳐 가는 것은 '섬마을 선생님' 노래 배경지 증거를 어떻게 찾느냐는 것이다. 실마리가 풀리게 된 것은 2014년부터 2016년까지 3년간 안산시좋은마을만들기 동아리 사업으로 '대부도 옛 지명에 따른 마을 이

야기' 찾기 자료 수집과 '대부도 옛이야기 지도' 만들기를 하며 '지역 인사 초빙 마을 현장 강의'를 듣게 되었는데, 이구영 씨가 "대남초등학교 주변의 염전에서 나는 천일염 500~700포를 싣고 서울 마포나루까지 가서 판매했다는" 것이었다.

김 교장; "마포에서 소금 배를 타고 유람(遊覽) 온 사람이 없었습니까?"

돛배 선장; "손님, 마을 사람, 사진작가, 방송작가 등 많았습니다."

<신정웅 교장, 이구영 선장>

김 교장; "대남초등학교 선생님을 찾아온 사람은 없었습니까?"

돛배 선장; "선생님들은 방학이 아니면 못 가니까 가족, 친구들도 왔습니다."

김 교장; "숙소나 어울릴 사람은 있었을까요?"

돛배 선장; "농어촌이라 어울릴 사람이나 잘 곳도 마땅치 않아 선생님들과 어울리고, 학교나 하숙집에서 하룻밤을 보냈을 것입니다.

'김재형 PD 일행(一行)도 소금 배를 타고 와 선생님들과 어울렸을 것이다'라 생각하니 대부도의 관문인 신당리 진두선창(津頭船艙)이 아니라 '대남초등학교로 곧바로 왔다'는 수수께끼가 풀린 것이다. 이미자 선생님의 '섬마을 선생님' 노래는 대남초등학교가 배경지라고 해도 사람들이 믿지 않았다. 그래서 대부도 옛이야기 지도, 대부도 스토리텔링 책자 등에 싣고, 2016년 SBS, 2018년 KBS2에 대남초등학교가 배경지라고 방송도 나왔으나 항의하는 사람이 없어 대남초등학교가 배경지가 틀림없다고 생각되었다.

2. 노래 배경지 증언을 함께 들은 사람

2010년 4월 6일 김재형 KBS PD님으로부터 '섬마을 선생님' 노래 배경지가 대남초등학교인 것을 함께 듣게 된 '고랫부리횟집' 김순라 사장님의 이야기를 들었다. 2018년 8월 8일(수) 이전(移轉) 개업한 지 3년이 된 '고랫부리손칼국수매운탕집[54)]'으로 찾아가 녹취한 내용이다.

[증언 내용] 펜션공사 정○환 소장과 교장은 여러 번 술자리를 함께하여 잘 아는 사이였고, KBS '용의 눈물' 연출자 김재형 선생님은 펜션 광고 촬영 협의차 왔다고 하였다.

2010년 식목일 다음 날 저녁 대남초등학교 바닷가 '고랫부리횟집'에서 '해뜨는마을펜션' 공사 책임자인 정○환 소장 일행과 함께 식사하던 KBS 김재형 전 PD님이 대남 교장에게 "섬마을 선생님 노래 배경지가 대남초등학교"라고 말하는 것을 들었다. 이 노래 속의 총각 선생님도 '옛 대남초등학교 총각 선생님'이라 하였다.

증언한 KBS 김재형 전 PD와 그것을 전하는 대남초등학교 김선철[55)] 전 교장은

---

54) 2010년 '고랫부리횟집'은 남3리 고랫부리 바닷가에 있었으나 2018년 단원구 대선로 37번지로 이사했으며, 2023년 11월 현재 '○정이네바지락칼국수'로 바뀌었음.

55) 김선철: 2005.09.01~2012.02.29.(6년 6개월) 대남초등학교 교장과 초빙교장으로 근무, 재직 시 2006년부터 학교 앞 갯벌에 공유수면점·사용허가를 받아 염전을 만들고, 한국 유일의 습지보전시범

대남초등학교의 졸업생이나 고향도 아니고, 연고도 없어 거짓말을 할 이유가 없다.

3. 작가 일행의 대부도 흘곶 유람(遊覽) 가능성

(1) 마포나루에서 손님을 태워 온 소금 돛배 선장(船長)

신정웅 교장님 외 3명의 조사자는 2018년 8월 8일(수) 오전 안산시 단원구 대부남동 흘곶 마을 전 소금 돛배 선장님의 댁을 찾아가 '섬마을 선생님' 관련 이야기도 듣고 녹화도 했다.

<2017.07.21. 흘곶 홍사의 어촌계장과 소금 돛배 이야기 듣기>

2017년~2018년까지 2년간 '안산시 좋은마을만들기' 사업으로 대남초등학교 앞 염전에서 '동수골염막촌 자염(煮鹽)굽는 날[56]' 행사를 위하여 염막(鹽幕)을 짓는 자문을 구하려고 흘곶 어촌계장 홍사의 씨에게 부탁했더니, 흘곶 이구영 어른을 소개해 주었다. 이구영 씨는 어릴 때부터 염막에서 소금을 구웠다고 했다. 2년간 자염굽기 자문을 받으면서 '섬마을 선생님' 노래 관련 서울 손님에 대하여 자세히 여쭈어볼 수 있었다.

"소금을 싣고 마포나루까지 갈 때는 시간이 오래 걸리지만, 서울 마포나루에서 흘곶으로 올 때 뒤바람만 맞으면 2~3시간이면 왔다고 하였다." 대부도까지 오면서 손님들과 나눈 대화는 다음과 같다.

<2017.10.05. 이구영 선장-자염•염전 이야기 듣는 모습>

[증언 내용] 우리 집 앞에 큰 염전(鹽田)이 세 개나 있는데 긴 장불이 바닷가는 수만 평이 온통 해당화밭이었다. 해당화꽃은 향기가 좋고 달아 따먹어도 맛있다. 찔레꽃, 해당화가 필 때면 가뭄이 심하고 송홧(松花)가루가 날려, 노란 약소금이 되는 5월 소금이 가장 좋다. 소금을 만드는 일은 너무 힘이 들었다. 마포나루에 가면, 싣고 간 소금은 장사꾼이 일꾼을 데려와 바로 하선(下船)하였다.

대부도로 발령받는 선생님들은 대부초등학교보다 대남초등학교가 멀고 더 시골이라 오기 싫어하였다. 교장이나 선생님이나 1~2년 후면 금방 떠났다. 갯바탕이 좋아 스승의 날 즈음은 꽃게, 낙지, 맛 등 먹을 것이 지천이었다. 스승의 날에는 잔치 준비를 해

학교, 경기도교육청 지정 갯벌교육 특성화 및 염전체험장을 만들어 운영, 퇴직 후 10년간 염전(鹽田)과 염막(鹽幕) 운영 봉사 활동을 하였음.

56) 대남초등학교 염전은 학교 특성화 교육을 위하여 조성하였으며, 퇴임 후에도 2021년까지 공모사업 예산으로 '염전 관리 및 천일염 만들기' 봉사활동을 하였음.

서 잘 대접하였다. 음식이 풍성해서 서울에서 온 손님들도 먹을 복이 많았을 것이다.

사리 4~11물 때만 마포나루에 갔는데, 소금을 나르지 않을 때는 대부도 건너 입파도[57]에서 4~5명이 돌을 주워 와서 마을 공동 굴밭과 개인 굴밭을 만들었다. 그 날은 조개가 하도 많아 줍고 있었는데 갑자기 풍랑을 만나 배가 부서져 입파도에서 자게 되었단다.

입파도에 하나밖에 없는 민가에서 신세를 지게 되었는데, 남편은 풍도 사람들과 도리도에 작업[58]하러 가고 없어 아이들과 만삭인 안주인만 있었단다. 아주머니가 갑자기 아기를 낳게 되어 산파 노릇[59]을 하게 된 기막힌 일, 소금 나르기 뱃일을 하며 겪었던 일 등 많은 이야기를 나누었다고 하였다.

(2) 소금 돛배와 1964년~1965년 스승의 날 물때

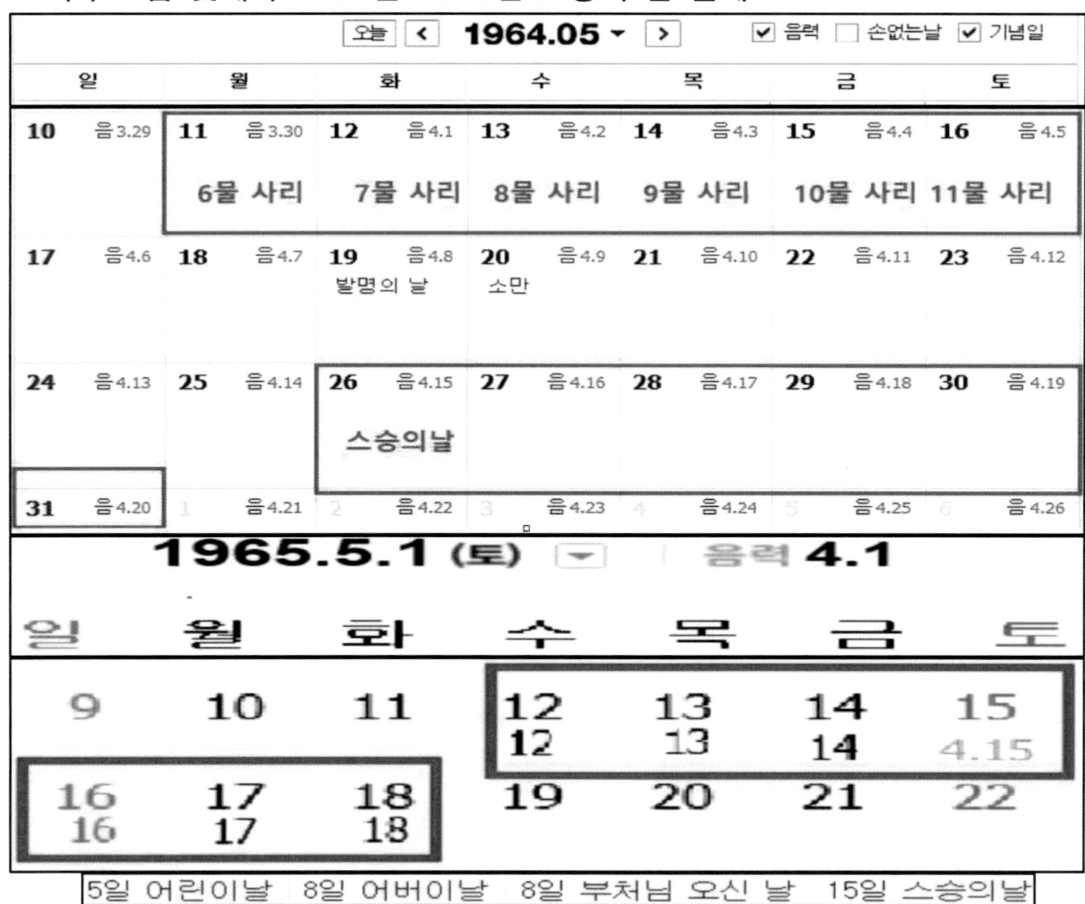

<1964과 1965년의 '스승의 날'과 소금 돛배가 마포나루에 갈 수 있는 사리 물때>

---

57) 1960~70년대 소금 돛배로 대부도 흘곶에서 입파도까지 40분 정도 걸렸다고 함.

58) 19세기 말쯤부터 2001년까지 풍도 사람들은 풍도에서 20km 정도 떨어진 도리도로 일 년에 두 번의 이주가 있었다. 입동 전후 11월에는 굴 채취를 위해 이주하였다가 설 열흘 전에 굴 채취를 끝내고 풍도로 돌아가 설을 지낸 다음, 2~3월에 다시 도리도로 바지락을 채취하러 갔다가 4월~6월쯤 돌아왔음.

59) 나이 차가 많았던 초등학교 동기생: 이구영 씨는 신정웅 교장보다 여러 살 많은 초등학교(國民學校) 동기였는데 장가를 빨리 가서 일찍 자녀를 두었다고 함.

마포나루에서 대부도로 유람 오는 젊은 서울 손님 일행이 소금 돛배를 타려면, 금요일 주말이 '4물~11물 사리'이라야 한다. 그래야, 이구영 선장의 말을 과학적으로 증명해 주는 것이다. 1964년은 5월 26일, 1965년 5월 15일 스승의 날[60] 서울 마포나루로 가는 소금 돛배가 뜰 수 있는 '사리' 물때인지 살펴보았다.

앞쪽의 물 때 달력을 보면 1964년 5월 26일은 음력 4월 15일 6물 사리, 화요일이고, 1965년 5월 15일은 음력 4월 15일 토요일 6물 사리였다. 이때를 맞춰 흘곶의 이화, 금화, 대남염전과 대남초등학교 뒤 어지현의 창하염전과 고랫부리의 강거래염전의 소금을 모아 배에 싣고, 마포나루에 가서 소금을 하선(下船)[61] 시키고 손님을 태워 올 수 있는 것이다.

4~5월 봄은 소금이 가장 많이 생산되는 때이므로 즉시 대부도로 돌아와야 한다. 그래서 서울 손님 일행은 이구영 선장의 소금 돛배를 타고 대부도에 와서, 5월 15일 스승의 날인 금, 토요일 유람(遊覽) 후 월요일 서울중앙방송국에 출근할 수 있었을 것이다.

(3) 총각 선생님들의 하숙집이 있던 비룰 마을 이야기

1960년대 초 숙소가 거의 없던 시절, 소금 돛배를 타고 온 손님들은 총각 선생님들을 만나 학교와 가까운 비룰 마을[62] 하숙집이나 학교 교실[63]에서 머물렀다고 생각되어, 2018년 8월 8일(수) 대부 17통 김대환 전 통장님의 증언을 듣고 녹화한 주요 내용이다.

[증언 내용] 1960~70년대에는 마을 주변 바닷가와 느릿뿌리 해변 및 대남초등학교에서 고랫부리 모래 언덕에 수만 평의 해당화 군락지에 해당화꽃이 만발했다. 봄에는 철새도 학교 앞 갯벌에 가득했다. 방학이 아니면 육지 집에 갈 수 없어 가족이나 친구 등 육지 손님들이 많이 다녀갔다.

선생님들은 우리 마을이 가깝고 넓은 집이 있어 하숙을 많이 하였다. 생일, 회갑 등 각종 잔치 날은 학교 선생님을 자주 모셔가 잘 대접했고 섬 색시들과 어울릴 기회가 많았다. 대남초 총각 선생님 몇 분은 학구 내의 섬 색시와 결혼도 하였다.

그 당시는 집집마다 농주(農酒)를 많이 담아 술 인심이 좋았다. 봄, 가을에는 꽃게, 낙지, 바지락 등 먹을 것이 많았고, "학교 뒤 어지현에는 고기가 너무 많아 다 잡을 수도 없었다고" 하였다.

---

60) '제1회 스승의 날'은 1964년 5월 26일(화)(음력 4월 15일~20일, 6~11물 사리)이다. '스승의 날'이 5월 15일이 된 것은 1965년부터다. 겨레의 큰 스승인 세종대왕의 탄생일(양력 환산일)을 '스승의 날'로 삼았다. 연합뉴스, 김기연 기자, 선생님 병문안으로 시작된 '스승의 날'... 60년간 달라진 풍경, 2022.05.13.

61) 소금 배가 마포나루에 도착하면 상인이나 예매(豫買)한 사람들이 가져갔다고 함.

62) 비룰 마을: 옛날부터 마름이 사는 마을이라 큰 집이 있었다고 한다.

63) 집필자도 1971년 진주교대에 다니며 친구들과 지리산에 갔을 때 가랑잎초등학교 교실에서 숙박한 적이 있음.

4. 대부도 관내 학교 선생님의 증언

2018년 7월 30일(월) 70년대 초 대부도 대동초등학교 신정웅 전 교장 선생님이 직접 운영하는 곤충 사육 농장 '마이벅스'에서 만나 증언을 듣고 녹화한 주요 내용이다.

[증언 내용] 인천교육대학교를 졸업하고 1970년대 초 고향인 대동초등학교에 첫 발령을 받아 근무했다. 누구와 어울릴 사람이 별로 없어서, 주말에는 풍광이 좋은 대남초등학교까지 10리(4km)를 걸어가 총각 선생님들과 어울려 바닷가에서 술도 마시고, 노래를 부르며 많은 시간을 보냈다.

대남초등학교 총각 선생님 중 몇 명이 섬 색시와 결혼한 걸로 알고 있다. 인천에 가려면 만조(滿潮) 때 나무로 만든 동력선이 하루 한 번밖에 없었고, 안개, 바람, 파도 등 자연환경의 영향을 많이 받아 특별한 일이 없으면 육지에 나가기 어려워 방학이 되어야 갈 수 있었다.

대남초등학교 앞 바닷가는 경치가 좋아 자주 놀러 가곤 했었다. 온통 해당화가 피었고 철새도 많이 왔다. 스승의 날에는 많은 음식을 학교에 가지고 와 흐뭇한 하루였다. 대부도는 인심이 좋아 선생님 대접은 잘하였다. 대부도 대남초등학교 주변 환경은 '섬마을 선생님' 노래 가사와 닮은 점이 많다.

1960년대 아버님이 경남 남해안을 다녀오는 데 보름이 걸렸다. 1960년대 '섬마을 선생님' 노래 작사자는 섬을 돌아보고 영감(靈感)을 얻어 작곡했을 것인데, 교통이 너무나 불편하던 시절, 서울중앙방송국 직장생활을 하면서 남쪽 섬 하태도에 가기는 힘들었을 것이다.

5. 대남초등학교 졸업생과 주민의 증언

(1) 대남초등학교 졸업생의 증언

2018년 7월 30일(월) 대남초등학교 근처에 사는 제6회 졸업생 이재복 이사의 증언을 대남초등학교 현관 앞에서 듣고 녹화한 주요 내용이다.

어릴 때 대남초등학교에서 가까운 윷판재에 살았다. 우리 집 근처에 선생님이 거주하였는데 휴일에는 선생님들이 육지 집에 가지 못해 학교 근처 바닷가에서 노는 것을 자주 보았다.

대남초등학교 탁○용 총각 선생님은 멍골마을의 우리 이(李)씨 집안 이○영[64] 아저씨의 여동생 이○화 아가씨와 결혼하여 인천에 살았다. 탁○용 선생님은 대남초등학교에서 인천의 초등학교로 전근(轉勤)을 간 후, 승진하여 교장 선생님이 되셨

64) 이○영: 1939년생, 안산시 단원구 대부남동 961번지. 동생인 이○영 선생님은 대부초등학교 대남분교에서 서강훈 '섬마을 선생님'과 함께 근무함.

다. 대남초등학교가 있는 바닷가에는 해당화가 많이 피었고 철새도 아주 많았다.

(2) 섬 색시 집안의 대남초등학교 졸업생 증언

2018년 8월 9일(목) 대남초등학교 제6회 졸업생 양○주[65] 선생님을 찾아갔다. 집안의 양○자 섬 색시는 각큰재 마을에 방을 빌려 살던 대남초등학교 박○원 총각 선생님과 결혼하였는데 인천에서 교감 선생님을 하였고, 지금은 원주에 산다고 하였다.

대남초등학교가 개교할 때 근무했는데, 양○주 선생님 본인이 대남초등학교에 조기 입학하게 된 것도 서강훈 선생님 덕분이라 하였다. 처남 이강세 씨가 느릿뿌리 마을에 사는데, 근처에 1960년 대남초등학교 개교 당시 서강훈 총각 선생님의 집이 있다고 하였다. 현재 대남초등학교 건너편 느릿뿌리에 집을 짓고 사는 서강훈 총각 선생님은 수영목 마을의 이춘자 섬 색시와 결혼하였다

(3) 중부흥 섬 색시 마을 주민의 증언

2018년 8월 11일(토) 중부흥마을회관에서 이 마을의 섬 색시와 총각 선생님 이야기를 노인회원으로부터 들은 증언이다.

[증언 내용] 대남초등학교가 1960년 개교할 때부터 1962년 3월 31일까지 근무한 총각 선생님 서강훈 기호일보 회장님은 천주교 재단인 인천 박문여자고등학교를 갓 졸업한 열아홉 섬 색시 이춘자와 결혼하였다. 현재 처남 매형 간인 이강세 씨의 집 근처 느릿뿌리 바닷가에 집을 지어 인천에서 이사와 살고 있다.

60년대 초 각큰재 마을에서 방을 얻어 살던 박○원 총각 선생님과 양○자 섬 색시가 결혼하게 된 것은 고등학교를 갓 졸업한 섬 색시가 좋아한 박○원 선생님 방에 꽃병으로 예쁘게 방을 꾸며 주면서 사랑이 싹텄다고 한다. 2018년 현재 원주에서 살고 있다.

(4) 멍골 섬 색시 마을 주민의 증언

2018년 8월 26일(일) 학란곡마을회관에서 멍골 마을 섬 색시와 총각 선생님 이야기를 노인 회원에게서 들은 내용이다.

[증언 내용] 학란곡 멍골 마을에 살았던 이○영[66] 씨의 누님 "섬 색시 이○화님은 홀어머니와 대남 사택에서 살던 미남 총각 선생님 탁○용과 중매로 결혼했다고 한다. 이웃 마을이라 서로 알고 지냈던 예쁜 섬마을 아가씨였다고" 하였다. 인천의 초등학교로 전근가 근무하였으며, 탁○용 선생님은 교장 선생님으로 퇴직하였다.

---

65) 2018년 즈음 대남초등학교 총동문회 총무를 맡았으며, 초등학교 교사로 재직하고 있었다. 양○자 섬 색시와 한집안으로 서강훈 총각 선생님을 잘 알고 있어 많은 정보를 제공해 주었음.

66) 1960년대 이○영 선생님은 대부초등학교 대남분교에서 서강훈 '섬마을 선생님'과 함께 근무함.

6. 대남초등학교 총각 선생님의 증언

2018년 8월 11일(토) 중부흥마을회관에서 마조금 마을에 살면서 섬 색시와 결혼한 개교 당시 대남초등학교 서강훈 총각 선생님께 들은 증언이다.

[증언 내용] 1960년 6월 3학급 대남초등학교 개교 때부터 근무한 서강훈 총각 선생님은 일제강점기 아버지가 한의원을 운영하였는데 독립군 자금책으로 종로경찰서에서 사망하였고, 서울에 살 수 없어 대부도에서 가장 외진 곳 중부흥 바닷가 마조금[67] 마을로 피신하여 살게 되었다고 한다.

광복이 되고 서울 집으로 돌아가 종로에서 중학교를 졸업하고, 인천사범학교에 진학하였다. 경기도 연천군으로 첫 발령이 났으나 집에서 너무 멀어 못간다고 하였더니, 장학사가 인적 사항을 살펴보고 "대부도는 가겠느냐?" 하여 대부도로 오게 되었단다. 대부초등학교에 첫 발령을 받아, 모두가 가기 싫어하는 대남분교장(大南分校場)으로 배정된 것도 대남분교 건너편 마조금 마을에 예전 살았던 집이 있었기 때문이었다.

1961년 4월 6학급이 되었고, 서강훈 선생님은 '서울의 대학에 입학하게 되어 사표를 내었지만, 교장이 교사가 부족해서 받아주지 않았다'고 한다. 그해 8월에 부임한 정관호 교장 선생님도 사표를 받아주지 않았다. 대남학교를 벗어나는 길은 입대(入隊)라, 논산훈련소에 지원[68]하여 서울 특수병과에 배치받았다고 한다.

그런 와중(渦中)에 천주교 재단인 인천 박문여자고등학교를 갓 졸업한 열아홉 섬 색시 이춘자 씨가 독일 간호사로 뽑혀 딸이 머나먼 타국으로 가게 되어 집안에서 난리가 났단다. 섬 색시 이춘자 씨의 아버지는 부천군과 대부면에서 이름난 유지(有志)여서 독일 간호사로 갈 아무런 이유가 없었기 때문이다.

일제시대(日帝時代) 서강훈 선생님 어머님이 서울에서 대부도로 이사 온 후 이춘자 씨 부모님으로부터 많은 도움을 받았고, 교사로 발령받았을 때부터 잘 알고 지내던 두 사람의 결혼을 급히 추진하게 되었다고 한다. 그 후 독일 간호사는 집안의 사촌 동생이 대신 갔다고 하였다. 필연적(必然的)으로 '섬마을 선생님' 노래의 주인공이 될 수밖에 없었던 '총각 선생님과 섬 색시'는 현재 노래 배경지인 대남초등학교 건너편 느릿뿌리 마을 바닷가에 살고 있다.

---

67) 마조금; 갯벌이 높아 조금 때 말들이 놀던 바닷가 갯벌.

68) 서강훈 회장님은 외동아들에 군경유자녀라 입대(入隊) 면제자였다고 함.

7. 대부도 조류 철새 전문가 최종인 씨의 증언

2018년 7월 30일(월) 안산갈대습지공원에서 최종인[69] 씨에게 들은 증언이다.

[증언 내용] 대남초등학교 앞 갯벌은 연안습지로 국토해양부 지정 갯벌보호지역이다. 이곳에 서식하는 조류로는 알락꼬리마도요, 노랑부리백로, 저어새, 흑꼬리도요, 민물도요, 마도요, 물떼새 등 다양한 종류가 있다. 그리고 염분에 내성을 가진 다양한 염생식물도 많이 분포하고 있다. 이 학교 앞 갯벌은 넓고 먹이가 풍부하여 대부도의 다른 곳보다 다양한 철새들이 많이 찾는 연안습지다.

8. 증언을 종합하면

이상의 증언에서 '섬마을 선생님' 노래 가사의 소재인 해당화꽃, 섬마을과 총각 선생님, 3, 4월에 찾아오는 철새와 새 학기 선생님의 전근, 19살 섬 색시의 순정과 사랑, 구름도 쫓겨 가는 섬마을의 36개 염전, 별이 잘 보였던 바닷가 학교, 그리움, 해당화 군락이 많은 바닷가, 서울에서 온 총각 선생님, 이별의 아쉬움 등이 1960년대 '섬마을 선생님' 노래 배경지가 대부도 대남초등학교임을 말해 주고 있다.

<2019.06.19. 정문 앞 염전과 아름다운 소나무 숲 대남초등학교 전경>

---

69) 최종인 씨; 안산 시화호와 대부도 조류 철새 전문가, 안산시청 근무.

Ⅳ. 연구 성과 및 향후 과제 포럼

A. '섬마을 선생님' 노래 배경지 포럼 개요

1. 제목; '섬마을 선생님' 노래 배경지 대부도, 연구 성과 및 향후 과제 포럼
2. 일시: 2019. 04. 10. 14:00~17:00
3. 장소: 안산시청 대회의실
4. 내용: 노래 '섬마을 선생님' 배경지 주제 발표 및 토론회
5. 주최; (사)연백한풀뿌리장학복지회, (사)한국생활음악협회 안산지부, (사)국제영상위원회, 비영리법인 동수골염막촌, 삼덕영농조합법인
6. 지원; 안산시 문화복지국 문화예술과
7. 시간 계획

시간		시간	내 용	비 고
13:30	14:00	30′	식전 행사	박명훈
14:00	14:02	5′	개회 및 국민의례	김지원
14:02	14:07	3′	내빈소개 및 토론자 소개	박명훈
14:07	14:12	5′	개회사(인사말)	김선철
14:12	14:22	10′	경과보고; '섬마을 선생님' 노래 배경지 조사 전반	박건택
주제발표 : 사회자/ 이찬구 (사)겨레얼살리기국민운동본부 사무총장				
14:22	14:30	8′	좌장 인사말 및 발제자 소개	이찬구
14:30	14:50	20′	발제 1. '섬마을 선생님' 노래 배경지의 증언 및 대부도와 다른 섬 비교 연구	김선철
14:50	15:10	20′	발제 2. '섬마을 선생님' 배경지로서의 대부환경 적합성	신정웅
15:10	15:30	20′	발제 3. 증언 채취를 통한 '섬마을 선생님' 노래 배경지 도출	이군희
종합토론 : 좌장/ 이찬구 (사)겨레얼살리기국민운동본부 사무총장				
16:10	16:40	30′	주제: '섬마을 선생님' 배경지로서의 지위와 향후 과제 박성훈, 박영록, 허흥식	
16:40	16:55	15′	기타 토의(질의응답)	참석자
16:55	16:56	1′	폐 회	-
16:56	17:00	4′	기념 촬영	-

<2019.04.10. '섬마을 선생님' 노래 배경지 포럼 식전 행사>

B. 토론 진행자 약력

1. 작곡가 박성훈

작곡가 박성훈[70] 선생님은 1951년에 태어나서 1976년부터 작곡 활동을 해 왔다. 1976년부터 대한민국의 많은 대중가요를 작곡하였다. 대표곡으로는 현철의 1982년 '사랑은 나비인가 봐,' 2008년 '내 마음 별과 같이,' 주현미의 1986년 '첫정,' 염수연의 1989년 '사랑의 자리,' 하춘화의 1990년 '날 버린 남자,' 전미경의 1995년 '장녹수,' 김국환의 1998년 '바람 같은 사람,' 2008년 '인생은 직진이야,' 한혜진의 1999년 '서울의 밤,' 임선택의 1999년 '대추나무사랑걸렸네,' 장민의 2000년 '조약돌 사랑,' 유지나의 2001년 '저 하늘 별을 찾아,' 이자연의 2001년 '만남과 이별,' 김용임의 2003년 '사랑의 밧줄,' 나훈아의 2005년 '고장 난 벽시계,' 김혜연의 2013년 '최고다 당신,' 박상철의 2016년 '항구의 남자' 등 2019년 현재 많은 히트곡이 있다.

<2019.04.10. '섬마을 선생님' 노래 배경지 포럼 경청 장면>

대한민국의 많은 대중가요 트로트를 작곡하며 트로트를 활성화한 장본인이다. 전국노래자랑에서 심사를 걸출하게 잘 봐서, '딩동댕 아저씨'라는 별명을 얻기도 했으며, 올해로 작곡 경력 43년을 맞이했다. 2016년부터 경상남도 창녕군에서 박성훈과 함께하는 '창녕 양파 가요제'가 매년 개최되고 있다.

2. 국제영상위원회 대표 배우 박영록

박영록[71]; 본명 박영노, 1961년 1월 13일~ 영화배우, 연극 배우, 텔레비전 탤런트, 트

70) 박성훈 작곡가; 2019. 04. 위키백과에서 옮겨 정리함.
71) 박영록 배우; 2019. 04. 위키백과에서 옮겨 정리함.

로트 가수, 가수, 뮤지컬 배우 등 다재다능한 대한민국 연기자이다. 1978년 영화 '세종대왕'의 단역으로 영화배우 첫 데뷔하였다. TV 드라마로 활동하기 전에는 주로 일본에서 활동하였다. 주요 출연 영화는 1982년 '밤을 기다리는 해바라기,' '회장님 우리 회장님,' 이장호의 '외인구단 2,' 1992년 '25시 서울 탱고,' 2009년 '아부지' 등 무수히 많다.

출연 텔레비전 드라마는 2000년 SBS '덕이,' 2002년 SBS '야인시대,' 2004년 SBS '장길산,' 2004년 KBS '불멸의 이순신,' 2006년 SBS '연개소문,' 2013년 MBN '대한민국 정치 비사' 등이다.

출연 방송은 KBS 'TV는 사랑을 싣고,' 제440회 출연, 가요 앨범은 2004년 '잊지 말자 영원히,' CF는 2011년 '원더풀론,' 2013년 '쎄니팡,' 뮤지컬은 2014년 '사랑해 톤즈' 등 2019년 현재 많은 출연을 하였다.

3. 이찬구 박사; 주제 발표 사회자

(사)겨레얼살리기국민운동본부 사무총장, 종합토론 : 좌장

4. 서울대학교 대학원 박사 허흥식(許興植) 교수

서울문리대 사학과 학사 대학원 석사 박사, 경북대학교 사범대학 전강-교수, 한국학중앙연구원(구 세종연구원) 교수, 명예교수. 이탈리아 나폴리동양학대학교 강의교수, 미국 캘리포니아 주립대학 로스앤젤레스 캠퍼스 강의 교수, 중국 베이징대학 교환교수, 저서로 高麗科擧制度史硏究, 高麗社會史硏究 高麗佛敎史硏究. 韓國의 古文書. 韓國 金石全文(編著). 韓國中世佛敎史硏究, 眞靜國師와 湖山錄. 高麗로 옮긴 印度의 등불-指空禪賢, 고려의 문화 전통과 사회사상, 고려의 과거제도, 한국 신령의 고향을 찾아서, 고려에 남긴 휴휴암의 불빛-蒙山德異, 고려의 동아시아 시문학-百 集, 이상향과 보신탕(수필집), 한국의 중세문명과 사회사상, 동아시아의 차와 남전불교, 당현시범과 백가의집, 고려의 차와 남전불교, 그밖에 고려의 서지와 금석과 회계학과 문학과 가요 관계 논문 등 2019년 현재 330여 편이 있다.

C. 주제 발표

발제 1. 배경지 증언 및 대부도와 다른 섬 비교 연구; 대남초등학교 김선철 전 교장
발제 2. '섬마을 선생님' 배경지 대부도 환경 적합성; 간석초등학교 신정웅 전 교장
발제 3. 증언 채취를 통한 '섬마을 선생님' 노래 배경지 도출; 이군희 지부장
-본문 요약은 보고서 증언 내용 참고

D. 섬마을 선생님 배경지의 지위와 향후 과제 결과의 토론

좌장 이찬구 사무총장; '섬마을 선생님' 배경지의 지위, 향후 과제, 결과 등에 관해 토론 하겠습니다.

먼저 현철의 '내 마음 별과 같이,' 나훈아의 '고장 난 벽시계' 등 수많은 인기 가요를 작곡하신 박성훈 작곡가께서 '섬마을 선생님' 배경지의 지위와 향후 과제에

대하여 말씀하시겠습니다.

<좌장 이찬구 사무총장의 인사와 토론 진행 장면>

1. 박성훈 작곡가와의 토론 내용

주제; '섬마을 선생님' 배경지의 지위와 향후 과제

이미자의 명곡 '섬마을 선생님'의 배경지가 처음에는 전남 목포 남쪽 섬이라고 알고 있었습니다. 그다음은 대이작도 이장님으로부터 김기덕 감독의 영화 촬영과 노래비 이야기를 듣고 방송 출연 시 '섬마을 선생님' 노래의 배경지는 대이작도라고 말해 왔습니다. 이번 포럼에서 '섬마을 선생님' 노래에 대한 조사연구 보고 자료를 살펴보니 안산 대부도가 '섬마을 선생님'의 배경지임을 알게 되어 기쁩니다. 안산 대부도가 '섬마을 선생님' 노래의 배경지라고 방송 출연 시 알리겠습니다.

노래 배경지 증인으로 노래의 작사자 이경재와 같은 방송국에서 연출가로 함께 근무한 KBS 김재형 전 PD의 증언, 가사의 소재인 해당화, 철새와 전입한 총각 선생님, 19살 섬 색시, 구름도 쫓겨가는 섬마을, 바닷가 섬 학교의 총각 선생님, 별처럼 쏟아지는 바닷가 등 소재와 일치하는 면, 1960~70년대 대남초등학교 주변 바닷가에는 이십여 리에 걸쳐 해당화 군락지가 많은 것 등의 1960년대 초 주민, 졸업생, 전문가 등의 증언에서 '섬마을 선생님' 노래 배경지는 안산시 대부도 대남초등학교가 맞다 생각합니다. 대부도에 '섬마을 선생님' 노래의 주인공인 1960년대 대남초등학교에 근무한 총각 선생님과 섬 색시가 살고 계신다는 말을 들었습니다. 무척 궁금하고요. 기회가 있을 때 꼭 찾아뵙고 싶습니다.

황포돛배를 사용할 때는 이미자 씨의 노래 '황포돛대'가 연상되므로 유의해야 합니다. 이 노래는 진해가 고향인 작사자 이용일은 1963년 경기도 연천의 포병대 근무 당시 밤이 깊은 12월 어느 날 고향 생각과 향수에 젖어 잠이 오지 않아 석양에 돛을 달고 항구로 몰려드는 진해(鎭海) 웅동(熊東) 영길만의 고깃배를 생각하면서 작사한 것이기 때문입니다.

대부도는 수도권에서 가깝고 바닷가라 관광자원이 풍부하여 ′섬마을 선생님′ 축제를 개최해서 우리나라 최고의 섬 축제는 물론 나아가 국제적인 섬마을 축제로 발전시켜야겠습니다. 1960년대 중반까지 운항한 소금과 젓갈 및 해산물을 싣고 마포나루까지 오간 대부도의 소금 돛배를 '마포나루 젓갈 축제'와 연계하여 관광 자원화해야 합니다. 좋은 브랜드 하나가 주민 소득증대에 크게 기여하므로 안산시에서 ′섬마을 선생님′ 노래 기념관, ′섬마을 선생님′ 꽃동산, 해당화 체험장 등의 조성·운영에 적극적으로 지원하여 국제적인 ′섬마을 선생님′ 노래 브랜드로 발전시키길 기대합니다.

2. 박영록 배우의 토론 내용

주제; '섬마을 선생님' 배경지로서의 가치

좌장 이찬구 사무총장; '섬마을 선생님' 배경지로서의 가치에 관해 토론 하겠습니다. SBS '야인시대,' '장길산,' KBS '불멸의 이순신' 등에서 열연한 국제영상위원회 대표 박영록 배우께서 '섬마을 선생님' 배경지로서의 가치에 대하여 말씀하시겠습니다.

1960년대 중반까지 운항한 소금과 젓갈 및 해산물을 싣고 마포나루까지 오간 대부도의 돛배를 '마포나루 젓갈 축제'와 연계한 관광 자원화가 요구됩니다. 대부도에 위치한 조력발전소, 낙조 전망대, 바다향기수목원, 각종 박물관 등의 기존 관광 인프라와 연계한 다양한 콘텐츠를 개발해야 합니다.

'섬마을 선생님' 배경지 대부도의 관광자원 활성화로 대부도의 경제 활성화와 문화 및 체험 등의 일자리 창출이 필요합니다. '섬마을 선생님 노래' 배경지와 관련된 '섬마을 가요 대회,' '섬마을 아가씨 선발대회,' '총각 선생님 선발대회' 등을 통하여 전국적인 '대부도 섬마을 축제로 발전' 시켜야 합니다.

3. 허흥식 사학과(史學科) 교수님의 토론 내용

주제; 정주형(定住型) 관광지로서의 대부도와 ′섬마을 선생님′ 노래

좌장 이찬구 사무총장; 허흥식 교수님께서 정주형(定住型) 관광지 대부도와 ′섬마을 선생님′ 노래 배경지에 대하여 말씀하시겠습니다.

국민가수 이미자의 노래는 섬과 여자 그리고 애절한 노래가 많습니다. '섬마을 선생님' 노래도 섬, 섬 색시, 해당화, 사랑, 육지로 떠나는 총각 선생님, 이별, 그리움 등 애절한 노래입니다. 섬에 사는 여자들의 삶이 그만큼 어려웠기에 더욱 슬프거나 간절함이 심금을 울립니다.

'섬마을 선생님' 노래 작사자 이경재는 KBS 드라마 연출자, 작가였고, 작곡가 박춘석은 가사에 영혼을 불어넣는 철학자였으며, 가수 이미자는 관객(觀客)의 마음을

사로잡는 배우입니다. 그래서 '섬마을 선생님' 노래는 섬사람의 삶이 깃들여 있는 드라마라 할 수 있습니다.

좌로부터 <이기용 문화국장, 박영록 배우, 이군희 지회장, 대남초 김선철 전 교장, 간석초 신정웅 전 교장, 박성훈 작곡가, 허흥식 박사, 안산시 박명훈 전 의원>

안산시에서 '섬마을 선생님' 노래 가사를 분석하여 배경지의 지역주민, 주변 자연환경, 염전에서 소금을 나른 돛배, 섬마을 학교와 총각 선생님, 시대적 배경 등을 시민이 자발적으로 조사 연구한 것으로, 포럼을 개최하는 것은 그만큼 안산시가 문화 콘텐츠 계발에 선구적인 역할을 하는 것입니다. 우리나라에서 가요의 노랫말을 분석하여 포럼을 개최하는 것은 처음 봅니다. 유럽에서는 노랫말로 수많은 연구와 기념 사업으로 세계적인 관광 명소가 된 곳이 많습니다.

지방자치 단체도 기네스북에 등재된 국민 가수 이미자 씨의 4대 명곡 '섬마을 선생님' 노래 배경지인 대부도와 대남초등학교 주변을 '섬마을 선생님' 기념 공원이나 박물관을 지어 안산 대부도 대표 브랜드로 발전시키면 우리나라 최고의 명소가 될 것입니다.

안산은 역사적으로 실학사상의 성호 이익의 성호박물관, 농촌 계몽운동의 선구자 최용신의 최용신기념관 등 유명한 박물관이 많습니다. 대부도의 '섬마을 선생님' 노래 소재인 해당화, 섬마을, 철새, 총각 선생님, 섬 색시, 천일염 등을 활용한 섬마을 축제, 음악 치유 프로그램 등의 다양한 관광 콘텐츠를 개발하는 것이 비용 대비 가성비를 높일 수 있으므로 안산시와 대부도가 세계적인 관광지로 발전하기를 기원하겠습니다.

'섬마을 선생님' 노래 배경지가 안산시 대부도 대남초등학교 외에도 3곳의 섬에서 배경지라고 주장하는데 다른 섬에서도 주장해야 배경지로서의 가치가 높아지고,

지자체에서도 더 많은 관심을 가지게 되어, 관광객 유치에 효과적이므로 다른 섬과 많은 경쟁을 했으면 좋겠습니다.

E. 기타 토의 및 질의 응답

① 양운영 대부동 주민자치위원장; '섬마을 선생님' 노래의 배경지가 안산시 대부도라는 홍보와 관광 증대를 위해 섬마을 선생님 노래 배경지 대남초등학교에 '섬마을 선생님 노래 기념비'를 안산시에서 세우는 것이 좋겠습니다.

② 이갑성 안산시 대부도 에코뮤지엄센터장; 대부도는 섬 주위가 온통 갯벌이라 새들의 먹이가 풍부하여 철새가 많고 바닷가에는 해당화 군락지도 많았습니다. 염전도 많아 소금을 실은 여러 척의 돛배가 마포나루, 인천 연안부두 등으로 많이 오갔습니다. '섬마을 선생님' 노래 배경지인 대부도에 해당화도 많이 심고 돛배도 운행하면서 문화관광 도시 안산시 대부도의 이미지를 향상해야겠습니다.

③ 이기용 안산시 문화복지국장; 안산시에서 노래비를 세우고, 기념관을 만드는 것, 가요제 등의 축제를 여는 문제는 '섬마을 선생님' 노래 배경지 관련 연구와 고증(考證)을 더 거쳐야, 안산시에서 적극적으로 추진할 수 있으리라 생각됩니다. 대부도 '섬마을 선생님' 노래 배경지에 더 많은 관심을 부탁드리고, 포럼 추진에 노력한 '대부도섬마을축제추진위원회' 위원, 발제자 및 토론자 여러분의 노고(勞苦)에 감사드립니다.

V. 대부도 섬마을 선생님 노래비 건립

A. 대부도 섬마을 선생님 노래비 건립의 발단

1. 제1회 대부도 섬마을 축제와 노래비 건립

2019년 3월 5일(화) 섬마을선생님추진위원회[72]를 결성하고, 다음과 같이 제1회 대부도 섬마을 축제 추진 계획을 수립하고 있었다.

✧ 일시 : 2019년 5월 31일(금) 10:00~6월 2일(일) 16:00, 3일간
✧ 장소 : 대부도의 경기도평생대학(안산 단원구 선감로 205-33)
✧ 대상 : 대한민국에 거주하는 사람은 누구나
✧ 경연 : 섬 색시·총각 선생님·섬마을 가수 선발대회, 댄스 경연 대회 등
✧ 내용 : 4개 부문 경연, 향토 및 국제 음식 축제, 각설이 등 공연
✧ 주관 : 섬마을선생님추진위원회
✧ 후원 : 안산시청, 경기문화재단, 안산문화재단, 안산시관광협회,
　　　　안산시 단체장 및 기업체 대표
✧ 예산 : 5,000만 원

이 축제 소식을 듣고 2019년 3월 중순 대부도 남 3리 긴장불길 이○우 사장이 '섬마을 선생님' 노래 기념비 3개를 세워야 한다며 노래비 건립 계획서 작성을 요청받아 '섬마을 선생님' 노래비 건립 계획'을 수립해 두었으나 연락이 없었다. 추진하려던 사람이 노래 배경지 근거가 적다며 사업 추진을 미루었다는 것이다.

2. 섬마을 선생님 노래비 건립 계획의 변경

제1회 대부도 섬마을 축제도 장소, 협찬 등 여러 문제로 2019년 9월 28일로 늦추어지고, '섬마을 선생님' 노래비 건립 계획도 다음과 같이 변경하여 추진키로 하였다.

○ '섬마을 선생님' 배경지 노래비
 - 장소; 대남초등학교 교정, 일시; 2019년 9월 28일, '섬마을 선생님' 축제, 개막식 전
○ '섬마을 선생님' 노래 속의 섬 색시와 총각 선생님이 살았던 중부흥 마을 노래비
 - 장소; 중부흥마을회관, 시기; 2020년 '섬마을 선생님' 축제, 개막식 전
○ '섬마을 선생님' 작사자 일행의 도착지 노래비
 -장소; 15통 마을회관, 시기; 2021년 '섬마을 선생님' 축제, 개막식 전

가장 먼저 배경지인 대남초등학교에 '섬마을 선생님' 배경지 노래비를 2019년에

72) 2019년 3월 초, 김선철 전 교장, 신정웅 전 교장, 이군희 지회장, 박명훈 전 시의원이 섬마을선생님추진위원회를 결성함

설치하고, 다음은 2020년에 총각 선생님, 섬 색시 마을인 중부흥 마을회관에 설치하며, 마지막으로 2021년에는 1960년대 초 '섬마을 선생님' 노래 작사자 일행 도착지인 15통 마을회관에 건립하기로 하였다.

<2019년 최초의 계획(안) '섬마을 선생님 노래비' 건립 계획 및 장소 선정>

3. '섬마을 선생님' 노래비에 새길 내용 선정

○ '섬마을 선생님' 노래 배경지의 노래비 내용

노래비 전면에는 장르별로 ① 노래의 작사, 작곡, 가수, 발표 연도, ② 노래 가사, ③ 라디오 드라마의 방영 연도, ④ 영화의 제작 연도를 넣고 '섬마을 선생님' 노래가 드라마와 영화의 주제곡인 것을 강조한다

[전면] **섬마을 선생님**

① 이경재 작사, 박춘석 작곡, 이미자 노래(1965)

[1절]
해당화 피고지는 섬마을에
철새따라 찾아온 총각선생님
열아홉살 섬 색시가 순정을 바쳐
사랑한 그 이름은 총각선생님
서울엘랑 가지를 마오 가지를 마오

[2절]
구름도 쫓겨가는 섬마을에
무엇하러 왔는가 총각선생님
그리움이 별처럼 쌓이는 바닷가에
시름을 달래보는 총각선생님
서울엘랑 가지를 마오 떠나지 마오

③ 서울중앙방송국 섬마을 선생님 라디오 드라마 주제곡(1966)
④ 김기덕 감독의 섬마을 선생 영화 주제곡(1967)

[뒷면] 총각 선생님 오신지 60년, '섬마을 선생님' 노래 55년

2010년 4월 6일 KBS 사극 '용의 눈물' 김재형 PD님이 고랫부리횟집에서 과거에 많았던 해당화를 대남초등학교에 심었다는 이야기를 듣고 섬마을 선생님 노래 속의 총각 선생님은 그 학교 선생님이고 노래의 배경지라 하였다. 1965년 당시 서울중앙방송국에 함께 근무하던 김재형, 이경재 PD 일행은 마포에서 이구영 선장의 소금 돛배를 타고 흘곶에 왔다. 학교 주변 바닷가 모래언덕은 해당화 군락지로 갯벌에는 철새가 많았다. 육지에서 온 총각 선생님은 1~2년마다 오고갔다. 학구 내에는 염전이 21개나 있었고, 2011년 가로등이 생기기 전에는 별 보기 좋은 학교였다. 잔칫집에 다녀온 저녁이면, 총각 선생님들은 그리움을 달래려 학교 앞 바닷가 모래언덕에서 자주 노래를 불렀다.

○ 섬 색시, 총각 선생님의 중부흥 마을 노래비의 내용

중부흥 마을회관 노래비 앞면은 노랫말을 새기고, 뒷면에는 결혼한 세 총각 선생님과 섬 색시 결혼 사연을 새기기로 하였다

[뒷면] 총각 선생님과 섬 색시가 살았던 중부흥의 수영목과 각큰재 마을

2010년 4월 6일 KBS 사극 '용의 눈물' PD였던 김재형 님이 고랫부리횟집에서 과거에 많았던 해당화를 대남초등학교에 심었다는 이야기를 듣고, 섬마을 선생님 노래 속의 총각 선생님은 그 학교 선생님이며 노래의 배경지라 하였다. 1965년 당시 중부흥 마을 주변 바닷가에는 해당화 군락지와 철새가 많았다. 1960년대 서울에서 온 서강훈 선생님은 마조금 마을, 박○원 선생님은 각큰재 마을, 탁○용 선생님은 학교 사택에 주거하였다. 대부도는 다른 섬에 비하여 부유하고 교육열이 높아 인천으로 유학한 여고 졸업생이 많았다. 총각 선생님과 결혼한 수영목 마을의 열아홉 섬 색시 이춘자 씨는 파독 간호사로 뽑혀 결혼하였고 각큰재 마을의 양○자는 꽃병 사랑으로 유명하고, 멍골마을 이○화 씨는 중매결혼을 하였으며, 이○화 씨의 남동생 이○영 씨는 대부초등학교 대남분교 때 서강훈 총각 선생님과 함께 근무하였다.

○ 섬마을 선생님 작사자 일행 도착지 노래비 내용

15통 마을회관 노래비 앞면은 노랫말을 새기고, 뒷면에는 KBS 김재형 전 PD와 이경재 작사자 일행이 흘곶 마을 앞 긴장불이 해안 두몽에 오게 된 사연을 새기기로 하였다

[뒷면] KBS 김재형 PD, 이경재 연출가 일행의 흘곶 마을 도착지 두몽

2010년 4월 6일 KBS 사극 '용의 눈물' PD였던 김재형 님이 고랫부리횟집에서 과거에 많았던 해당화를 대남초등학교에 심었다는 이야기를 듣고 섬마을 선생님 노래의 배경지는 대남초등학교이고 노래 주인공은 그 학교 총각 선생님이라 하였다. 1960년대 초 스승의 날 즈음 당시 KBS에 함께 근무하던 김재형, 이경재 PD 일행은 마포에서 이구영 선장의 소금 돛배를 타고 이곳 두몽에 도착한다. 옛날 국마(國馬) 목장이던 흘곶 마을 앞의 바닷가에서 백마(白馬)가 태어났다는 두몽 안쪽 넓은 벌판에는 이화, 금화, 대남 염전이 있었고, 대남초등학교 뒤에는 창하염전, 고랫부리에는 강거래 염전, 육골과 흥성리에는 천신, 대성, 홍성, 만성 염전이 있어 마포나루까지 소금 돛배가 자주 다녔다. 긴장불이 바닷가에서 고랫부리, 느릿뿌리 바닷가 여러 커다란 해당화 군락지에는 해당화가 만개하였다. 해당화는 꽃이 크고 아름다우며, 꽃가루가 많고 향기가 좋아 벌들이 많이 찾아온다. 이곳에 도착한 서울중앙방송국 이경재 연출가 일행은 대남초등학교 선생님과 어울리게 되고 마땅한 숙소가 없던 시절이라 학교에서 숙박하며 선생님들과 많은 이야기를 나누게 된다. 일행이 서울로 간 후 '섬마을 선생님' 노래가 발표된다.

B. 이미자 선생님 팬카페에 노래비 건립 계획 올리기

1. 이미자 선생님 팬카페 회장님과의 만남

한국생활음악협회 이군희 안산지부장이 부평의 음악인을 만나 '섬마을 선생님' 노래 배경지 이야기를 하였더니, 이미자 선생님 팬카페 회장님을 잘 안다면서 연락처를 알려 주었다고 한다. 2020년 2월 14일(금) 12시 이군희 지회장과 대남초 김선철 전 교장 이 부평 백운역 2번 출구 근처 부평점 거궁에서 팬카페 나미주 회장을 만나 식사와 차를 마시며 2시간 정도 담소를 나누었다. 이군희 지회장과 두 분은 음악인이라 오래 알고 지내던 친구같이 소통이 잘 되었다.

안산 대부도 대남초등학교가 '섬마을 선생님 노래 배경지'라는 것을 밝힌 전후 사정을 소상히 말씀드렸더니 "이미자 선생님 팬카페에 글을 직접 올려 공론화시키는 것이 좋겠다고" 하였다. 그 외에 '섬마을 선생님' 노래 배경지 조사 보고서, 포럼 자료, 신문 기사 등의 스크랩 파일을 "이미자 선생님께 전해 줄 수 있느냐고" 부탁하였더니 흔쾌히 승낙해 주었다.

2. 이미자 선생님 팬카페에 올린 글

'섬마을 선생님' 노래 배경지 조사 보고서 및 포럼 내용과 사진, 신문 기사 자료 등을 요약하여, '섬마을 선생님' 노래 배경지는 대부도 대남초등학교 일원이다. 1960년대 대부도 대남초등학교 학구 내에 섬 색시와 결혼한 세 분의 대남초등학교 총각 선생님 이야기 등을 카페에 올려 공론화시켰다. 2020년 2월부터 1년간 팬카페에 올린 글은 다음과 같다.

1. 대부도 '섬마을 선생님' 배경지 근처에 살아요. 댓글 수 2, 2020. 05. 15.
2. 1960년대 대부도 대남초등학교 학구내 섬 색시와 결혼한 세 분의 대남초등학교 총각 선생님 증언
3. '섬마을 선생님' 노래의 배경지는 경기도 안산시 대부도 대남국민(초등)학교 일원 옛 지도 사진 첨부
4. 1960~70년대 '섬마을 선생님' 배경지 대남초등학교 학구도, 연혁, 사진 댓글 수 3 사진 첨부
5. 대남초등학교에서 열린 '섬마을 선생님 음악회' 사진입니다. 댓글 수 3 사진 첨부
6. '섬마을 선생님'의 배경지는 경기도 안산시 대부도 대남초등학교 일원 댓글 수 6
7. '섬마을 선생님' 노래 배경지에 해당화 향기길 조성을 위해 해당화를 4월 6일 심었네요. 댓글 수 4 사진 첨부
8. 향기로운 해당화가 피기 시작했답니다. 사진 첨부
9. '섬마을 선생님' 노래 배경지 바닷가 5월 해당화 향기길 감상하세요. 댓글 수 4 동영상 첨부
10. '섬마을 선생님' 노래 배경지에 주민의 정성을 모아 노래비를 세워요. 댓글 수 4 파일 첨부
11. 보릿고개 면하려고. 사진 첨부
12. '섬마을 선생님' 노래비 8월 20일(목) 오후 3시 제막식, 댓글 수 4 사진 첨부
13. 대부도 섬마을 선생님 노래비 동영상입니다. 댓글 수 3 동영상 첨부
14. 노래비에서 이미자 선생님의 노래를 들으며. 댓글 수 4 동영상 첨부

15. ‘섬마을 선생님’tv 1회 댓글 수 2
16. ‘섬마을 선생님’tv 2회 댓글 수 2
17. ‘섬마을 선생님’tv 4회 댓글 수 2
18. ‘섬마을 선생님’tv 6회 댓글 수 2
19. ‘섬마을 선생님’tv 7회 댓글 수 2 동백꽃(나미주) 2021. 05. 15.

C. 대부도 ‘섬마을 선생님’ 노래비 안건 상정

1. ‘섬마을 선생님’ 노래비 건립 협의

2019년 9월 28일로 늦추어진 대부도 섬마을 축제가 공공장소의 임대 조건, 행사비 조달 등 여러 문제로 취소되어 ‘섬마을 선생님’ 노래비 건립 계획의 수정이 불가피하였다. 그래서 2020년 5월 14일(목) 대부도에코뮤지엄센터 회의 안건으로 상정하고, 회원들의 조언을 들은 후, 대부도 주민들의 협조 방안을 협의하였다. 4회에 걸친 회의 내용을 요약·정리한 결과는 다음과 같다.

□ 제목; ′섬마을 선생님′ 노래 배경지 노래비 건립

□ 설치 장소; 대남초등학교 학교부지 내

□ 일시; 2020년 9월 16일(수) 16:00

□ 제막 행사; ′섬마을 선생님′ 음악회 및 제막식

□ 추진 내용; ′섬마을 선생님′ 노래 배경지인 대부도에 노래비 건립을 위하여 ‘섬마을 선생님노래비추진위원회’를 구성하고, 대남초등학교 총동문회, 대부도에코뮤지엄센터, 대부동주민자치위원회와 통장협의회, 새마을부녀회 등의 도움을 받아 자발적인 기금을 모금한다. ′섬마을 선생님′ 음악회에 이미자 선생님과 카페 후원회장을 모시고, ‘섬마을 선생님’ 노래비 제막식을 거행하여 대부도 문화 콘텐츠 개발에 기여한다.

□ 노래비 모양 및 크기; 가로 180cm, 높이 180cm 정도에 앞은 노랫말, 뒷면은 배경지 증언자와 주요 조사 내용을 새긴다.

□ 대남초등학교 학교 용지 지정 구역도

□ 노래비 설치 장소; 대남초등학교 부지는 1960년 6월 개교 당시 대부남동 산 284번지가 26,826㎡(8,129평)이었으나 부천교육청[73] 관재계에서 등기를 하지 않아 개교 11년 7개월 후인, 1971년 11월 산림청에서 등기 해 간 후 13조각으로 나누어 매각(賣却)하였다. 분할 매각 당시 교실 한 칸 지을 예산도 안되는 3.3㎡당 50원에 불하받으라 하였으나 부천교육청에서 거절한 후, 2만 배 이상 상승한 지금도 안산교육청에서 구입하지 않아 산림청으로부터 불법 점용 변상금을 부가(附加)받고 있다. 2010년 학교장의 강력한 요청으로 대부남동 산284, 1066-123, 산284-5, 1066-124를 학교 용지로 지정하여, 학교 교육 용지 외에는 쉽게 불하 할 수 없게 하였다. 교내(校內)와 학생 출입이 잦은 교문(校門) 근처에는 코로나19의 영향으로 노래비를 세울 수 없으므로 대부남동 산284-5, 탁○용 ‘섬마을 선생님’ 사택 자리에 세울 예정이다.

---

73) 행정구역 변동; 2014.03.01.~1972년 부천군 대부면, 1973년 옹진군 대부면, 1994.12.26. 안산시 대부동

2. '섬마을 선생님' 노래비 건립 후원금 모금 계획

2020년 5월 14일(목) 제1차 회의 후 모금을 진행하였으나 금액 편차가 심하여 개인과 단체의 모금 금액 상·하한선을 정하기로 하였다.

✦기간; 2020년 6월 15일~8월 15일 2개월간
✦대상; 대남동창회, 지역 인사, 그 외 희망자
✦모금 목표액; 개인 30만원~50만원, 단체 50~100만원 씩 총 1,450만원
✦홍보 방법; 대남동창회, 에코뮤지엄, 주민자치위원회, 통장협의회의 도움을 받음.
✦도움주신 분 기록; 명단을 노래비에 새겨 후대에 남김.
✦모금 계좌; 비영리법인 위원회 계좌로 모금하고, 목표액에 도달하면 종료함.

2020년 6월 20일~8월 20일까지 '섬마을 선생님' 노래비 건립을 위한 모금 및 지출 내역을 요약 · 정리하면 다음과 같다.

✦모금 계획 기간; 2020년 6월 26일 ~ 8월 10일(1개월 15일간)
✦모금 목표 달성; 2020년 6월 26일 ~ 7월 23일, 1,770만원 계좌 입금 정지시킴
✦모금 종료 항의; 8월까지 모금한다고 해서 입금시키지 않았는데 왜 약속을 지키지 않느냐며 항의하여 8월 10일까지 연장함.
✦노래비 계약; 위원회 의결로 좋은 오석을 갖고 있는 대부도 '나루아틀리에' 김용현 작가와 노래비 건립 계약, 착수금 600만원 지출
✦모금 종료; 2020년 8월 10일 계좌 입금 정지시킴 - 총모금액 2,150만원
-대부도 직능 단체 및 주민; 1,110만원, 대남초동문회; 1,140만원, 총계 2,150만원
✦노래비 제작 및 제막식 경비 지출액; 노래비 건립 1,450만원, 앰프 설치비 230만원, 제막 행사비 170만원, 노래비 관리 예비비 300만원

3. 노래비 건립에 도움주신 분 기록 기준

노래비의 옆면에 건립비 모금 협조 단체명 및 개인명을 다음 기준에 의하여 기록한다.

① 대부동 유관단체명, 동호회와 법인명, 총동문회와 기수별, 대부 주민과 대남초등학교 졸업생, 노래 배경 조사, 보고서 작성, 포럼 추진, 작가 등 건립에 기여한 사람의 이름을 새긴다.
② 단체와 동문회 및 개인 기부자명을 가나다순으로 기록한다.
③ 일동(一同)은 쓰지 않는다.
④ 글자 배열이 균형을 이루도록 잘 배치하여 새기도록 한다.

D. '섬마을 선생님' 노래비에 새긴 글

노래비의 앞 · 뒤 · 옆면에 노래 가사, 배경지의 사연, 노래 건립비 모금 협조 단체명 및 개인명을 다음과 같이 기록하였다.

[전면] **섬마을 선생님**

이경재 작사, 박춘석 작곡, 이미자 노래(1965)

[1절]
해당화 피고지는 섬마을에
철새따라 찾아온 총각선생님
열아홉살 섬 색시가 순정을 바쳐
사랑한 그 이름은 총각선생님
서울엘랑 가지를 마오 가지를 마오

[2절]
구름도 쫓겨가는 섬마을에
무엇하러 왔는가 총각선생님
그리움이 별처럼 쌓이는 바닷가에
시름을 달래보는 총각선생님
서울엘랑 가지를 마오 떠나지 마오

서울중앙방송국 섬마을 선생님 라디오 연속극(1966)
김기덕 감독 섬마을선생 영화(1967)

[뒷면]

섬마을 선생님 노래 배경지

2010년 4월 6일 KBS 사극 용의 눈물 PD였던 김재형님이 고랫부리횟집에서 과거에 많았던 해당화를 학교에 심었다는 이야기를 교장에게 듣고 섬마을 선생님 노래 속의 총각 선생님은 대남초등학교 선생님이고 이 학교가 노래의 배경지라 하였다. 1960년대 초 서울중앙방송국에 함께 근무하던 연출가 김재형은 작사자 이경재와 호형호제하던 사이로 마포나루에서 이구영 선장의 소금 돛배를 타고 대부도 긴장불이 해안으로 온다. 흘곶과 학교 주변 바닷가 모래 언덕의 해당화 군락지에 꽃이 피고 철새도 많았다. 개교 당시 잔칫집에 다녀온 저녁이면 서강훈 선생님은 동료 총각 선생님과 그리움을 달래려 별빛이 반짝이는 학교 앞 바닷가 모래 언덕에서 노래를 자주 불렀다고 하였다. 대남 학구 내에는 염전이 20개나 있었고 서울에서 온 마조금의 서강훈 총각 선생님과 수영목의 이춘자 섬 색시와 결혼하였고, 각큰재와 멍골의 섬 색시도 총각 선생님과 결혼했다.

[옆면] **섬마을 선생님 노래 55년, 총각 선생님 오신지 60년**

고랫부리섬생태관광마을 나루아틀리에 대한노인회대부분회 동수골염막회 보은용사촌 새마을부녀회 섬마을선생님노래보존회 솔내음색소폰 아일랜드(주) 안산시관광협회 에코뮤지엄거점센터 주민자치위원회 통장협의회 한국생활음악협회안산지회 행낭곡부녀회 행낭곡자율관리공동체
김봉희 박순영 승광수 양운영 육광심 이대구 이수진 임복희 정경훈
대남초등학교총동문회 2회 3회 6회 8회 10회 12회 13회 14회 15회 16회 18회
강순식 강진식 강홍식 박영일 백승길 백승성 신연호 이권희 이덕원 이재원 이종섭 임양선 임희영 조동욱
기획조사 김선철 자문 신정웅 포럼 박명훈 촬영 이군희 간사 이선화 김용현 작

2020. 08. 20.

E. 섬마을 선생님 노래비 제막식 세부 계획

코로나19의 팬데믹으로 '섬마을 선생님' 노래비 제막식은 대남초의 운동장과 화장실 등만 개방한다. 학교 시설 이용 시 화장실 1층 화장실 출입구 외 실내 비개방, 실내 출입 금지, 코로나19 예방 철저 등 사전 준비와 점검할 사항이 많았다.

1. 섬마을 선생님 노래비 제막식 사전 준비 계획

일	시	적요	장 소	준비물	담당자
14 15 16	09 ~ 18	-노래비 설치 -주변 정비	제막 식장	-식장, 노래비 주변 설치 준비 -내빈 및 단체, 주민	-기획, 작가 -간사
		-노래 음향기 설치	〃	-버튼식 앰프; 섬마을 선생님 노래	-기획자
		-염전 주변 정비 -안내판 교체	염전	-제초, 염막고치기 등 -안전, 염전, 갯벌, 서식생물 등	-염전담당
17	오전	-보건소 협조 문의	보건소	-체온계 및 발열체크 의뢰	-간사
		-프로 진행자 회의	에코센터	-색소폰, 풍물, 음악공연팀 등	-지회장
	오후	-음료, 다과 구입	마트 방아간	-알콜, 마스크 구입 -개인용 생수, 커피, 물수건 -개인용 떡 주문, 봉투 구입	-간사외 1명 -에코 위원 2명
18	10 ~ 16	-프로그램 점검 -제막 준비	에코센터 행사장	-의자 100개, 천막 -리본, 제막보, 주변정비 등	-진행 -작가
19	오전	-현수막 찾기 -참석자 파악	행사장 에코센터	-식장, 노래비 주변 설치 준비 -내빈 및 단체, 주민	-기획, 작가 -간사
	오후	-개인용 다과 포장	펜션	-개인용 다과, 자염 포장	-지회장
20	08	-무대 및 염전 등	교내외	-현수막 4개 -1일전 부착	-염전담당 -제막식 준비
	10	-무대 및 좌석 준비	운동장	-의자 100개, 천막 -복지센터	-간사 -행정복지센터
	11	-염전 자염굽기	염전염막	-염막 자염 구워 식혀두기 -염전 물 채우고 거리두기 표시	-자염굽기 담당 -체험담당
	13	-천막 안, 염전 -방명록-체험용	운동장	-체온계, 탁자, 손소독제 -응급약품; 파스 알콜 등 -방명록-체험용	-에코 간사 -체험담당 -음악회안산지부
	14	-코로나19 방역 -발열 체크	에코센터 교문앞	-대남초교 주변 및 제막식장 -발열 체크 -마스크 점검, 알콜 바르기	-행정복지센터 -보건소 협조 -간사, 위원

2. 섬마을 선생님 노래비 제막식 당일 진행 계획

구분	시간	요 목	장소	비고(담당)	구체 계획
준비	14:40 ~15:00 (20‘)	· 발열 체크 · 방명록 기록 · 다과 물품 배분	-대남초 운동장 -천막	-식장 주변 소독 -발열 측정기 -다과 담당	-천막; 대남초 기존 -책상; 방명록 기록 -주차 주의 안내 철저 -개별 다과 물품 배분
식전 행사	15:00 ~16:00 (60‘)	· 학교 둘러보기 · 염막 돌아보기 · 여는 마당 · 이미자 님의 노래	-대남초 -염전 -운동장 -무대	-자율 -담당교사 -풍물단 총무 -솔내음색소폰 -음악협회	-옛교사(校舍) 자리 등 -운동장, 화장실 사용 -김은배 풍물단 -솔내음색소폰 -한국음악협회안산지부
제	16:00	· 개회사 1′	-대남초	-사회자; 연이	-사회자; 음악협회

막식	~16:30 (30')	· 국민의례 3' · 경과보고 5' · 기념사 4' · 환영사 4' · 축 사 7' · 기념촬영(식장) 3'	운동장	-반주기-주악 -에코센터장 -건립위원장 -대남동창회장 -주민자치위원장 -참석자 일동	-반주기; 〃, 애국가 -이갑성; 내빈소개포함 -신정웅 -강순식 -양운영 -현수막 앞, 간사 외
이동	16:30 ~16:40	· 이동 -풍물단과 함께		-이동 안내 -풍물단	-차량 조심 -김은배 풍물단
제막	16:40 ~17:00 (20')	· 제막 개회사 · 지축 울림 마당 · '섬마을 선생님' 노래 제창 · 노래비 제막 · 폐식사 · 기념촬영(노래비)	-대남초등학교 용지	-사회안내; 연이 -풍물단 -색소폰 연주 -노래 제창 -리본 12줄 10m -사회자 -참석자	-사회; 음악협회 -김은배 풍물단 -'섬마을 선생님' 노래 제창 -참석자 모두 -촬영 안내 -참석자, 개별 촬영
다과회	15:00 ~16:00	· 대남초 행사장 등	-공연장	-참석자 일동 -포도, 음료, 생수	-방명록 작성 시 배부 -개별 포장 자율 시식

① '코로나19'로 발열체크, 거리 두기, 마스크 착용 철저
② '코로나19'로 단체 식사 없음
저녁 만찬; 대부도에코뮤지엄센터 위원 김장식 님이 100만 원 정도를 후원함
※ 기상 여건 등에 따라 일정이 조정될 수 있음

3. 대남초등학교 및 제막식장 천막과 의자 배치 계획

코로나19 예방을 위하여 2m이상 거리를 유지하며, 학교 운동장 주변 및 대부남동 산248-5 제막식장 두 곳에 의자와 방역 탁자를 준비한다.

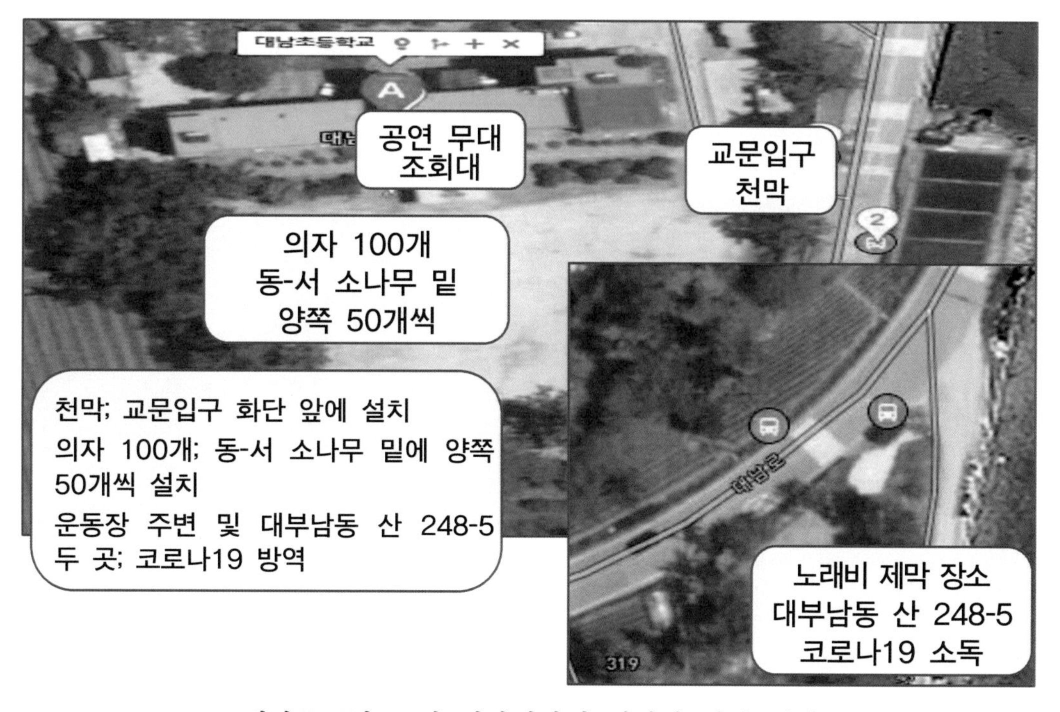

<대남초등학교 및 제막식장의 천막과 의자 배치도>

4. 섬마을 선생님 노래비 제막식

2020년 9월 16일 노래비 제막식이 예정되어 있었으나, '코로나19'가 극성을 부려서 100명 이상 실내 모임을 금지하고 있었다. 그래서 가을의 서늘한 바람이 불기 전 감기가 환자가 적은 여름으로 제막식을 앞당겨 추진하였다.

제막식에 참여한 모든 분이 함께 제막(除幕) 리본을 당길 수 있도록 노래비에 제막보를 씌우고, 제막 리본 여러 개를 길게 설치하였다. 서강훈 총각 선생님과 안산 문화관광해설사회 박영희·강미옥 님이 축하 화분을 보내와 설치하였다.

<총각 선생님의 축하 화환>

<노래비 제막보 준비>

가장 먼저 김은배 풍물단의 지신밟기와 안윤중, 김장식 등 솔내음색소폰동호회의 '섬마을 선생님' 노래 연주를 시작으로 성대한 제막식이 시작되었다.

<김은배 풍물단의 지신밟기 장면>

<'섬마을 선생님' 노래 색소폰 연주>

제막식은 한국생활음악협회안산지회 연이(우현숙) 가수의 사회로 시작되었다. 1960년 대남초등학교 서강훈 총각 선생님, 이구영 소금 돛배 선장, 김형식 노인회

장, 대남초등학교 2회 이재원 전 총동문회장, 제10회 강순식 총동문회장, 양운영 주민자치위원장, 이갑성 센터장, 신정웅 추진위원장, 한국생활음악협회안산지회 이군희 회장, 전영민 통장협의회장, 박성심 새마을어머니회장, 홍영기 행낭곡어촌계장 등 80여명의 내외빈이 참석하였다.

<노래비 제막식 내빈 모습>

<대부동 양운영 주민자치위원장 축사>

노래비 제막은 풍물패의 흥겨운 가락에 맞추어 참석자 모두가 제막(除幕) 리본을 당기며 '섬마을 선생님' 노래 배경지 관련 사업이 잘 추진되기를 기원하였다.

<'섬마을 선생님' 노래비 제막 모습>

<제막 직후 노래비 주변 모습>

제막 후 대부초등학교 대남분교 개교 당시 서강훈 총각 선생님과 대남초 2회 이재원 전 동창회장, 제10회 강순식 동창회장, 전영민 통장협의회장, 박성심 새마을어머니회장 등 졸업생의 기념촬영이 있었다. 이어서 이구영 소금 돛배 선장, 김형식 노인회장, 신정웅 추진위원장, 한국생활음악협회안산지회 이군희 회장, 대남초등학교 김선철 전 교장 등 내외빈이 기념 촬영을 하였다.

<서강훈 총각 선생님과 제자들> <추진위원장, 노인회장님, 선장님>

'섬마을 선생님 노래 55년, 총각 선생님 오신지 60년' 기념으로 세운 '섬마을 선생님' 노래비 앞면과 우측면, 좌측면의 모습은 아래 그림과 같다.

<노래비 앞면> <노래비 우측면> <노래비 뒷면, 좌측면>

F. '섬마을 선생님' 노래비를 찾는 사람들

이미자 선생님의 3대 명곡 '섬마을 선생님' 노래 배경지가 대부도라고 SBS, KBS2, TV조선 등의 TV, 라디오 방송, 신문 등에 보도되었다. 특히 '섬마을 선생님' 노래 배경지로 인터넷 매체에서 검색하면 대부도 '섬마을 선생님 노래비'가 많이 검색된다.

그리고 경기 둘레길, 서해랑길, 안산 대부도 해솔길 제4코스에 있는 대남초등학교와 노래비를 다녀간 후, 많은 블로그에서 글과 사진이 실리는데도 2019년부터 현재까지 5년간 "왜? 대부도가 '섬마을 선생님 노래' 배경지냐?"고 반문(反問)하는 것을 볼 수 없었다. 대부도 사람들의 생활 배경, 노래 가사와 대남초등학교 주변 자연환경, 증언 등에서 반론(反論)의 여지가 없기 때문이다.

1. 뽕숭아 학당 방영 언론 보도

2021년 7월 13일 헤럴드경제 등 수많은 언론사에서 대한민국의 트로트 전성시대를 연 2021년 미스터트롯 6인방 임영웅·영탁·이찬원·장민호·김희재·정동원이 '뽕숭아학당인생 학교'에서 가수 이미자 씨의 '섬마을 선생님'의 배경이 대부도의 대남초등학교라는 사실을 알게 된다[74]. '섬마을 선생님'의 가사 '해당화 피고 지는 섬마을에 철새 따라 찾아온 총각 선생님' 노래가 만들어질 수밖에 없는 아름다운 대부도에 감탄하며, 그 자리에서 미니 콘서트를 선보인다.

이어 천혜의 자연을 간직한 대부도에서 짜릿한 액티비티를 즐기고, 람사르 습지로 지정된 살아있는 갯벌을 체험하기도 했다. 특히 트로트 6인방은 가수 이미자 씨의 '섬마을 선생님'의 배경이 대부도의 대남초등학교라는 사실을 알고 대부도의 매력에 다시 한 번 놀라는 반응을 보이기도 했다.

<한국생활체육뉴스 2021.07.13.>

<tv조선 뽕숭아학당; 섬마을 선생님 노래비>

2. '섬마을 선생님 노래비' 방영 KBS '동네 한바퀴'

2022년 9월 24일 17시 '섬마을 선생님 노래비'가 KBS '동네 한바퀴' 188회에 방영되었다. 출연자 이만기 씨는 '섬마을 선생님' 노래도 부르고, 대남초등학교 개교 당시인 1960년대부터 문방구점을 운영한 행낭곡 정추자님으로부터 친구와 결혼한 총각 선생님의 이야기를 듣고 놀라워한다.

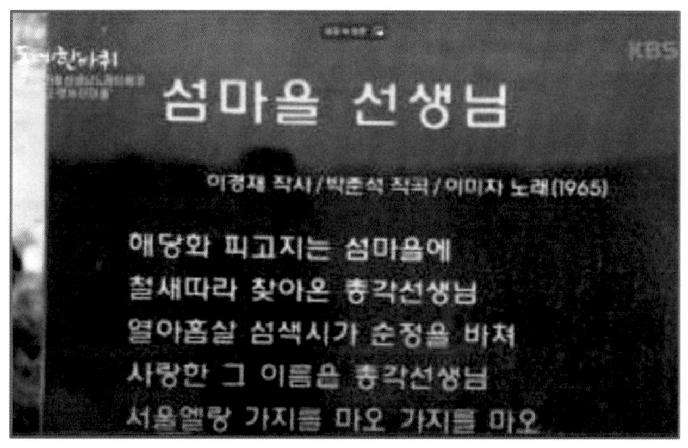

<캡쳐; KBS '동네 한바퀴' 188회 '섬마을 선생님'>

<캡쳐; 정추자 님의 총각 선생님 결혼 이야기>

3. 섬마을 선생님 노래를 부른 가수

2020년 12월 28일 youtube에 올린 강혜연 가수의 '섬마을 선생님' 노래[75]는 안산 9경 중 대부해솔길, 동주염전, 시화조력발전소, 구봉도 낙조전망대 등 대부도의

---

74) 2021.07.13. TV조선, 헤럴드경제, 성남일보 TV, 스타투데이, 팍스경제TV 등 참고.
75) 캡쳐; https://www.youtube.com/watch?v=KXmozanocWA 강혜연의 '섬마을 선생님' 노래 2020.12.

아름다운 명소를 돌며 불렀다. 그 중 ‘섬마을 선생님 노래비’와 동주염전, 대남초등학교 정문 앞 바닷가가 돋보였는데 주요 장면은 아래의 그림과 같다.

<그리움이 쌓이는 바닷가 학교> <‘섬마을 선생님’ 노래비> <구름도 쫓겨 가는 천일염전>

전통 가요를 맛깔스럽게 잘 불러 평소 좋아하는 가수 조명섭 씨가 2023년 3월 23일 SBS의 ‘THE 트롯 SHOW’에서 강혜연 가수와 함께 ‘섬마을 선생님’ 노래를 부른다고 한다. 그래서 그 전날 대부도 ‘섬마을 선생님 노래비’를 다녀갔는데 글의 내용[76]은 다음과 같다.

> 조명섭은 '섬마을 선생님' 노래를 부르고 팬은 노래비 찾아 대부도로<중략>
> '흐음... 대부도에 있군! 오잉? 총각 선생님이 허구의 인물이 아니고 실존
> 인물이야?
> 오잉? 아직 살아계신다고?'
> 근데 오늘 아침에 더트롯쇼에서 가수님이 #섬마을 선생님을 부를 거라서
> 기호일보 20.08.21일 자 기사에 의하면 #서강훈 선생이 60년 12월에 군대 제대 후 대남초등학교로 발령을 받아왔다고 하니 맞는지? 대남초등학교 개교 일자를 검색하니 61년도이다.
> 노래는 65년도에 만들어졌고 ... ...
> 그 잡목이 #해당화인 것을 나중에야 깨달았다는 거 아니겠어요!
> 내가 정말로 궁금한 것은 #작사가 이경재 님의 辯이다.

가수님이 바쁘실 텐데? 정말 꼼꼼하게 찾아보셨다. 좀 더 자세히 기록할 걸 생각했다. 1960년 6월 ‘대부초등학교 대남분교’로 시작하여 1961년에 개교했으니? 그럴만하다. 이경재 연출가께서 노래 배경지를 말한 증인도 없고, 사람들은 장소를 라디오 드라마나 영화 내용으로만 짐작했을 뿐이다. 대부도 사람들도 모르니 누가 알았겠는가?

이경재 작곡가님과 함께 근무한 김재형 연출가께서 말하지 않았다면 ‘섬마을 선생님’ 노래의 정확한 배경지는 영원히 묻히고 말았을 것이다. 김재형 연출가님도 증언 1년 후 작고하셨으니? 어떻게 2010년 4월 6일 대남초등학교 교장이 듣게 되

76) 그미의 조명섭 덕후감 2023.03.29. https://blog.naver.com/PostList.naver?blogId=nanugi2349

었는지 정말 모를 일이다. "#더트롯쇼 51번째 출연 #섬마을 선생님"을 불러야 하는 바쁜 와중에도 큰 관심을 둔 것에 감사드린다.

<캡처; THE 트롯SHOW 2023.03.27.>

4. 둘레길, 해솔길 등의 내방객

'섬마을 선생님' 노래비'를 검색하면 많은 블로그에서 이 노래 배경지에 많은 관심을 보이고 사진도 찍어 올리는 것을 볼 수 있다. 예를 들면, '경기 둘레길 걷기' 후기[77] '섬마을 선생님' 노래 배경지로 알려진 경기 둘레길 50코스! 배낭여행자님은 경기 둘레길 50코스는 '대부도의 남쪽 갯벌에서 시작한다... ... 트래킹 코스, 노래비, 해당화길 등' 예리하게 관찰한 후기를 올려, 하루빨리 '섬마을 선생님 기념관'을 건립하여 노래비를 잘 관리해야 되겠다고 다짐해 본다.

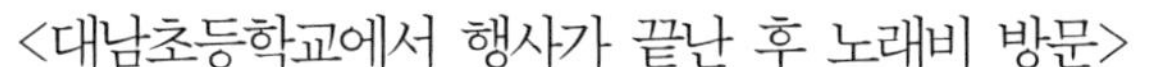
<대남초등학교에서 행사가 끝난 후 노래비 방문>　<캡처; 배낭여행자님 사진 2022.10.18.>

'섬마을 선생님' 노래를 부른 유명한 음악인들의 동영상은 수없이 많다. 소프라노 강혜정, 트로트 가수 나훈아, 류원정, 장윤정, 송가인, 발라드 가수 린 등과 김다현, 전유진 같은 청소년 가수의 동영상이 많은 것을 볼 때 그 인기가 어디까지인지 알 수가 없다. 그리고 대부도에 행사가 있어 다녀갈 때도 노래비를 보고 왔노라며 자랑하고, "주변 정리를 잘해야지 무엇 하느냐"고 지적을 받기도 한다.

77) https://www.gg.go.kr/dulegil/usr/wap/detail.do?app=24950&seq=404529 2022.10.18.

Ⅵ. 섬마을 선생님 해당화길 조성

A. 남 3리 주민과 음악인이 조성한 해당화길

2018년 4월 6일 남 3리 마을 주민들이 예전에 그렇게 많던 해당화가 모두 없어졌다며, 고랫부리 가는 바닷가 400m에 2,000여 그루의 해당화를 심어 '섬마을 선생님 해당화길'을 만들기 시작하였다. 그 후 고랫부리섬생태관광마을조합 회원들이 침목(枕木)과 울타리를 설치하였다.

<바닷가에 남3리 주민의 해당화 심기>

2019년 8월 한국생활음악협회안산지부 이군희 지회장이 중심이 되어 '대부도섬마을선생님노래보존회'를 결성하고 '섬마을 선생님 노래 배경지'에 '해당화 길을 조성'하기로 하였다. 2020년 3월 이군희 지회장이 여러 차례 해양관광본부 대부개발과 조경담당자를 찾아가 해당화 묘목 지원을 요청하였다. 윤화섭 시장님도 '섬마을 선생님' 노래 배경지와 해당화 꽃길 조성에 관심이 많으니, 우선 바다향기테마파크 묘목장의 해당화 묘목을 옮겨 심으라고 하였다.

<2020.04.06. 묘목장에서 해당화 캐기>

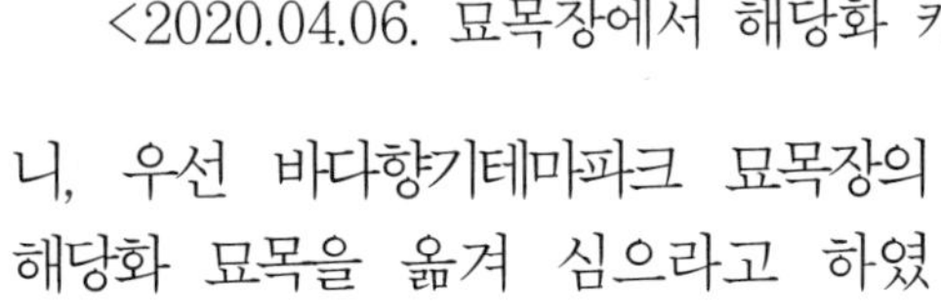

<해당화 묘목을 트럭에 가득 싣고>

5월 15일 스승의 날에 해당화를 아름답게 피우는 것을 목표로 4월 6일 섬마을선생님노래보존회 이군희 지회장, 이시향 가수,

<대남초등학교 뒷 공원에 해당화 심기>

연이(우현숙) 가수, 김선철 전 교장 등 6명이 해당화 가시에 찔려가며 대부도 바다향기테마파크 묘목장의 해당화를 캐서, 대남초등학교 김선철 전 교장의 트럭으로 옮겨, 하루 종일 대남초등학교 뒷 공원에 심었다.

B. 섬마을 선생님 해당화길 조성

마을 주민과 음악인의 정성이 통했는지 1년 후 1.9km의 '섬마을 선생님 해당화길'이 대남로에 조성되었다.

2020년 8월 20일 고랫부리 입구에 '섬마을선생님 노래비'가 세워진 것을 계기로 2021년 안산시 해양관광본부 대부개발과에서 '섬마을 선생님 해당화길' 조성 예산

<제1구간; 해당화 길>

<제2구간; 총각 선생님 길>

을 편성하였다.

지자체 예산에 국가 지원비를 추가하여 2억 원을 확보하였다는 것이다. 2021년 5월 고랫부리 입구의 '섬마을 선생님 노래비'에서 대부동 17통 샛터마을회관 근처 '샛터 삼거리'까지 1.9km의 '섬마을 선생님 해당화 길'이 대남로 양쪽으로 조성된 것이다.

<제3구간; 섬 색시 길>

'섬마을 선생님 해당화길'은 약 500m씩 나누어 제1구간 해당화 길, 제2구간 총각 선생님 길, 제3구간 섬 색시 길, 제4구간 그리움 길 등 1.9km가 조성되었고, '섬마을 선생님' 노래비에서 2011년 KBS2의

<제4구간 그리움 길>

'청춘 불패 2 촬영지[78]'까지 1km를 더하면 총 3km의 해당화 길이 조성된 것이다. 그 외 해당화가 심어진 곳은 대부중고등학교 정류장, 방아머리 서위 마을 대로변과 바다향기테마파크 주변 등 여러 곳에 심겨 있다.

해당화 묘목을 심은 2021년 5월은 날씨도 덥고 가뭄이 심해 많은 해당화가 죽어 너무나 안타까웠다. 그래도 토질이 좋고 수분이 있는 곳은 잘 자라 5월 15일 스승의 날 전후에는 아름답고 향기로운 해당화가 활짝 피어 '섬마을 선생님 노래비'를 찾는 사람과 '대부도 해솔길 4코스'를 걷는 내방객에게 아름다움을 선사(善事)하였다.

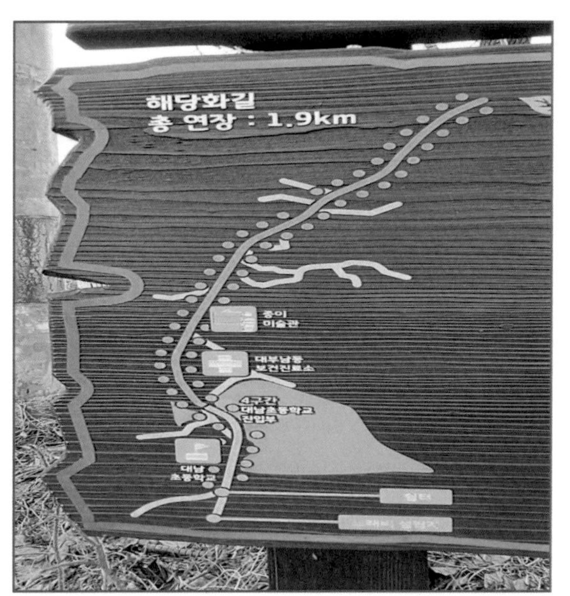

<해당화 길 전 구간 1.9km>

<제4구간 그리움 길 모습>

78) 청춘불패 2: 대부도 남 3리 행낭곡을 무대로 이영자, 붐, 김신영, 효연, 김예원, 보라, 강지영, G5 수지 등 출연, 시청률 7%로 2011.11.12~2012.11.17.까지 46부작으로 제작 방영되었다.

Ⅶ. 섬마을 선생님 음악회 개최

A. 섬마을 찾아가는 문화탐방 음악회

2018년 12월부터 경로·효행 사상을 고취시키고 대부도 '섬마을 선생님 노래 배경지' 홍보를 위하여 박명훈 전 의원과 이군희 지회장이 '섬마을 찾아가는 문화탐방 음악회'를 시작하였다. 안산시 대부동 풍도마을회관(2018. 12.)을 시작하여, 1960년대 초 탁○용 총각 선생님과 이○화 섬 색시가 살았던 행낭곡마을회관(2018. 12.)을 돌며, 코로나19 대유행 전까지 대중가요, 경기민요, 고고장구, 색소폰, 경극, 한국무용 등 한국생활음악협회안산지회 회원을 중심으로 20명 내외가 한 팀이 되어, 섬마을 어른들을 위로하는 음악회를 열었다. 여기에 참석한 마을 어른들도 노래자랑을 하며, 여러 가지 선물도 받을 수 있도록 준비하였다.

<행낭곡 찾아가는 음악회>

2019년 1월에는 서강훈, 박○원 총각 선생님과 이춘자, 양○자 섬 색시가 살았던 중부흥마을회관 음악회, 동년 2월에는 말부흥마을회관을 찾아 '섬마을 찾아가는 문화탐방 음악회'를 개최하였다.

<말부흥 찾아가는 음악회>

2019년 11월 16일에는 샛터마을회

<중부흥 마을 찾아가는 음악회> <흥겨운 음악회 모습>

관에서 마을 주민을 모시고, 대중가요, 남도민요, 북춤, 장구, 색소폰, 한국무용 등을 공연을 한 후 마을 어르신들이 노래자랑도 하며 흥겨운 시간을 보냈다.

<셋터마을 찾아가는 음악회>

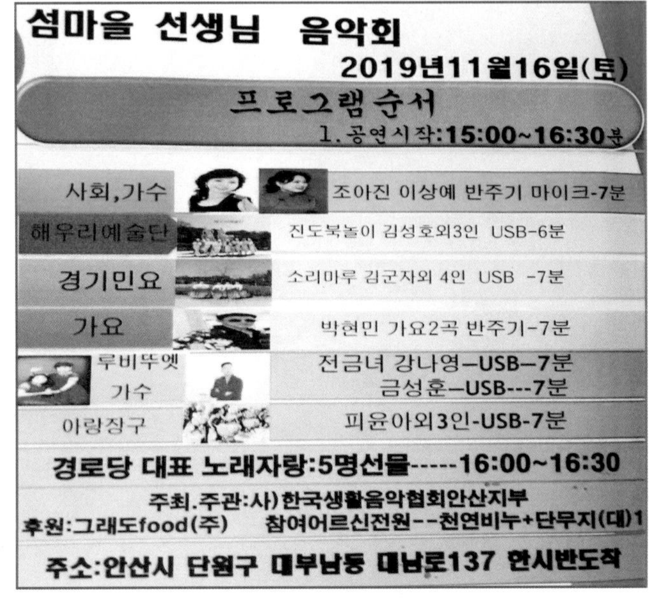

<중부흥·말부흥·샛터마을회관의 찾아가는 음악회>

2019년 12월 28일 영전마을회관에서 마을 주민을 모시고, 아랑장구, 색소폰, 진도북놀이, 대중가요, 경기민요, 경극 등을 공연한 후 마을 어르신들이 노래자랑을 하며 기념품도 받았다.

<영전마을 찾아가는 음악회>

<찾아가는 흥겨운 음악회>

2020년 1월 16일 종현마을회관에서 마을 주민을 모시고, 경기민요, 경극, 마술, 하모니카, 색소폰, 한국무용, 대중가요 등을 공연한 후 마을 어르신들이 노래자랑을 하며 상품도 받아가며 '섬마을 찾아가는 신나는 음악회'가 되도록 하였다.

<종현마을 문화탐방 음악회>

<종현마을 경기민요 공연 장면>

B. '섬마을 선생님 음악회' 개최

2020년 1월부터 현재까지 한국생활음악협회안산지부 이군희 회장을 중심으로 '섬마을선생님노래보존회'를 조직하여, 대남초등학교, 섬마을 선생님 노래비, 방아머리 바다향기 테마파크. 구봉도 해솔길, 안산 선감도 바다향기수목원, 대부도 진두선창, 탄도항, 누에섬 바닷길, 안산 한양대학교 캠퍼스 등 여러 명소를 돌며 '섬마을 선생님 음악회'를 월 2~3회씩 개최하였다.

<종현마을 북춤 공연 모습>

<대남초교 '음악회' 부채춤>

<섬마을 선생님 음악회-대남초등학교>

대남초등학교에서 열린 '섬마을 선생님 음악회'(2020.06.29.), '예술인과 함께하는 갯벌-염전체험 어울림음악회'(2021.04.28.)에는 이미자 선생님 팬클럽 나미주 회장의 '동백 아가씨,' 솔내음색소폰동호회 대남초등학교총동문회장 강순식 외 3명의 '섬마을 선생님 연주,' 한국생활음악협회안산지회장 이군희 외 안산지회 회원 24명의 가요, 민요, 마술, 장구 및 북춤 등으로 대남초등학교 갯벌-염전 체험 참가자들

에게 즐거움을 선사(善事)하였다.

<솔내음색소폰동호회 '섬마을 선생님' 연주>

<팬클럽 나미주 회장의 '동백 아가씨' 열창>

2020년 8월 코로나19 대유행 후에는 '섬마을 선생님 노래비 제막식,' '섬마을 선생님 음악회'에 참여한 안산과 인근 지역 음악인 및 참가 희망 지역 단체를 대상으로 조직된 섬마을선생님노래보존회, 한국생활음악협회안산지회, 솔내음색소폰동호회 등을 중심으로 안산 시내와 대부도를 돌며 2019년부터 2023년 말 현재까지 5년간 80여 회의 '섬마을 선생님 음악회'를 이어오고 있다.

<대남초등학교 진도북놀이 공연 모습>

<노래비 제막식 참가자>

<섬마을 선생님 음악회 참가자>

Ⅷ. 끝맺으며

A. 이미자 선생님과의 만남

교육대학교를 다닐 때부터 1973년 초등학교 교사로 발령받아 40여 년간 교직 생활을 하며 어떤 노래보다 많이 불러왔던 "해~당화 피고지~는~ 섬~마을에" 애절하고 간절하게 불러야 할 노래인데, 너무나 신나게 불렀으니 부끄럽기 한량없다. 바닷가 학교에 온 후 육지와 다르게 섬에서 살아가는 이야기를 듣고서야 '섬마을 선생님' 노래를 어떤 심정으로 불러야 하는지 어렴풋이 알게 되었다.

2005년 9월 안산 시내 집에서 가깝고 교통이 편리하며, 근무 여건도 좋고, 학생이 2,200여 명에 58학급이 넘는 정왕초등학교 교장으로 근무하다가, 자원(自願)해서 40km나 떨어진 대부도에, 그것도 6학급에 80명의 조그만 벽지학교인 대남초등학교까지 전근 간 것은 '섬마을 선생님' 노래와 숙명적(宿命的)으로 맺어진 인연(因緣)이라 생각된다.

지금부터 14년 전, 2010년 4월 6일 대부도에서 사라진 해당화를 심고, KBS 김재형 전 PD님으로부터 "섬마을 선생님 노래 배경지는 대남초등학교이고, 그 학교 총각 선생님이 주인공이라는 말을" 처음 들었을 때 정말 충격적이었다. 나의 앞에 계신 분이 그 유명한 박춘석 작곡가님과 절친한 분이고, 내가 근무하는 학교가 '섬마을 선생님' 노래 배경지라니? 믿기지 않았다.

대부도가 '섬마을 선생님 노래 배경지'라는 말을 전해들은 사람들은 나에게 "이미자 선생님께 알아봤냐?"는 것이다. 어떻게 그 유명한 "이미자 선생님을 만날 수 있을까?" 불가능한 일이라 생각했다.

그런데 이미자 선생님을 만나는 행운의 기회는 다가오고 있었다. 2020년 2월 한국생활음악협회 안산지부 이군희 지회장과 함께 '이미자 선생님 팬클럽회장 나미주'님을 만나게 되었다. 그후 엘리지의 여왕 이미자 팬클럽 카페에 해당화 심기, '섬마을 선생님 노래 배경지' 이야기, 노래비 건립, 섬마을선생님노래보존회 활동 등을 올려 정보 교환을 하면서

<인천공연장에서 나미주 회장님과>

친분(親分)이 두터워졌다. 그 후 인천 '2022 이미자 60주년 기념 음악회,' 일산 '이미자 특별감사 콘서트,' 안산 '2023 이미자 60주년 기념 음악회' 등을 관람하면서 이미자 선생님을 만나 뵐 수 있게 되었다.

<팬클럽 나미주 회장 외 4명, 이군희 지회장, 김용현 조각가, 김선철 교장>

첫 번째로 만난 것은 인천문화예술회관 대공연장에서 열린 '2022 이미자 60주년 기념 음악회'였다. 2022년 10월 29일 나미주 회장님께서 사전 만남 약속을 한 후, 이 음악회 공연 전 선생님 대기실을 찾아갔다. 이미자 선생님께서 "섬마을 선생님 노래비 건립 소식을 나미주 회장으로부터 전해 들었다"면서 감사하다는 말과 아울러 팬클럽 카페지기 회원들과 일산 콘서트에 참석해 달라면서 초대권도 주셨다.

두 번째 뵙기로 한 것은 일산 한류월드 JTBC 공개홀의 특별감사 콘서트가 끝난 후였다.

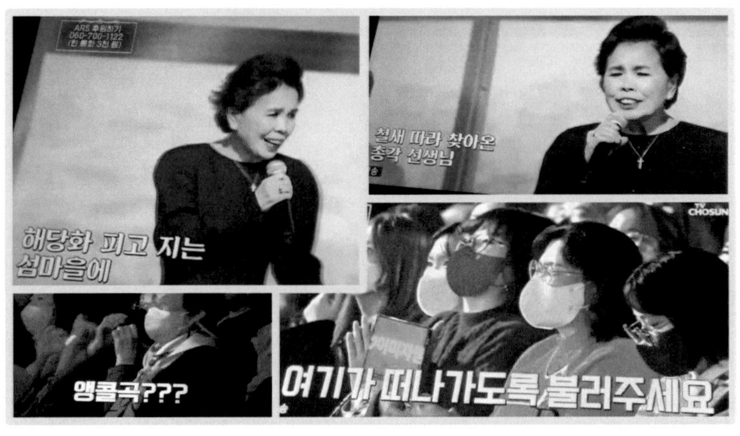

<캡쳐; 섬마을 선생님 노래를 관객과 함께 부르는 모습>

2022년 11월 3일 오후 2시 공연이라 팬클럽 회장님과 12시에 만나 식사 후 공연장에 들어가기로 하였다. 이번에는 '섬마을 선생님 노래비'를 조각한 김용현 조각가와 함께 갔다. 점심 식사 후, 이미자 선생님 팬클럽 카페지기 회원 5명과 콘서트장 앞에서 만나 함께 차를 마시고 사진도 찍었다. 공연 후 이미자 선생님과 만나기로 하였으나 일정 변경으로 만나지 못했다.

<이미자 선생님과의 면담 모습>

이미자 선생님께서 나미주 회장님께 '섬마을 선생님' 노래 관련 사업은 좋지만. 문화체육관광부에서 「이미자 선생님 노래 마을 지정」 후 관리가 지속해서 되지 않은 전례가 있어 우려를 표하고, 초청하면 안산에 오겠다는" 말을 나미주 회장으로부터 전해 들었다. 이날 이미자 선생님은 일산 공연의 유일한 앙코르곡[79]

79) 2022년 11월 3일 오후 2시 공연, TV CHOSUN 2022.12.01. 방송 [이미자 특별 감사 콘서트-1회]

'섬마을 선생님 노래'를 관객과 함께 콘서트장이 떠나가도록 열창해 주셨다.

세 번째 뵙기로 한 것은 2023년 5월 27일 오후 3시 안산문화예술의전당 해돋이극장의 '2023 이미자 노래인생 60주년 음악회' 콘서트가 끝난 후였다. 이민근 시장님과 나미주 팬클럽 회장은 긴급한 일정으로 오지 못했다. 1960년대 초 '섬마을 선생님' 노래의 실존 인물인 서강훈 총각 선생님과 이춘자 섬 색시를 이미자 선생님이 초청하였으나 병원 진료 때문에 참석하지 못했다.

<이미자 선생님과 기념 촬영>

공연이 끝난 후 안산시 의원 이대구, 한국생활음악협회안산지회장 이군희, 대남초등학교 김선철 전 교장 외 2명 등 다섯 명이 만나 면담도 하고, 기념사진도 찍었다.

이미자 선생님께서 '서강훈 총각 선생님의 연세와 치료 경과'를 물었다. 김선철 교장이 "80대 중반이고 작년부터 서울대학교 병원에서 치료를 받고 있으며, 건강이 점차 좋아지고 있다"고 답했다. 이미자 선생님께서 "연세도 별로 많지 않으신데~~~"라며 "총각 선생님의 쾌유를 빈다고" 하셨다. 그리고 "섬마을 선생님 노래 관련 사업도 잘 추진되었으면 좋겠다고" 격려해 주셨다.

지금까지 '섬마을 선생님 노래 배경지'를 밝히며 십여 년간 쏟은 정성이 결실을 맺게 되어 너무 기쁘다. 대남초등학교에 부임한 지 5년이 되던 해 해당화를 심고, 학교 근처[80] '고랫부리횟집'에서 KBS 김재형 전 PD님으로부터 증언을 듣고, 콘서트장에서 직접 이미자 선생님을 뵙게 된 것은 정말 큰 행운이었다.

B. 끝맺으며

요즈음의 대부도는 시화방조제를 통하여 언제든지 육지를 자유롭게 오갈 수 있지만, 1960년대 대남초등학교는 인천에서 정말 가기 힘든 머나먼 섬 학교였다. 서울이나 경기도에서 태어났을 총각 선생님들이 섬에 발령받아 출렁이는 동력목선(動力木船)을 타고, 인천 연안부두→옹진군 영흥도→화성 마산포→대부도 진두선창까지 2~3시간 걸려야 도착했다.

여기서 학교까지 가려면 비가 오면 장화 없이 생활하기 어려웠던 대부도 남단 끝의 남3리까지 일용할 생활용품을 챙겨서, 진두선창→신당리→성황당→분지천→고유지→공마루

영상을 캡처 함.

80) 대남초등학교는 대부도 남단 바닷가에 위치하여 가장 가까운 음식점이 3km 거리의 '고랫부리횟집'임

→상동→왕좌재→긴장골→샛터마을→용두고개→용머리→대남초등학교까지 2시간(7km) 이상을 걸어야 도착한다. 이때 대남초등학교에 근무한 총각 선생님이 겪었어야 할 일상의 어려움은 말할 수 없었을 것이다.

그런 상황을 상상만 해도 아찔한데, 3월 첫 발령을 받아 대남초등학교에 와서 육지에 다녀오려면 2시간을 걸어가서, 배 타기를 2~3시간, 뱃멀미는 무섭지, 바람이 불거나 안개가 심하면 동력목선(動力木船)이 운항하지 않으니, 방학이 아니면 육지의 집에 갈 엄두를 내지 못했을 것이다. 선생님들은 발령받은 지 1년이 되는 2월 말이면 섬을 벗어날 수 있으니 좋았겠지만, 섬 색시들은 철새 따라왔다가 철새처럼 가버리는 총각 선생님이 야속했을 것이다.

<1960, 70년대 대남초등학교 앨범의 학생과 선생님의 모내기 봉사활동 가는 모습>

대남초등학교 정문 앞은 바다라 운동장에서 축구공을 세게 차면 공이 갯벌에 빠진다. 이곳 갯벌은 모래, 돌, 바위 등이 없는 진흙 갯벌로, 굴, 조개, 낙지 같은 경제적인 어패류의 서식 환경은 아주 나빠 사람들이 거의 들어가지 않는다. 반면(反面)에 갯벌의 지표(地表)는 높고, 깊고, 넓어서 갯지렁이, 칠게, 쏙 등 저서생물의 서식 조건이 좋아 철새들의 먹이가 아주 풍부하다. 그러한 연유로 철새들은 밀물을 따라 떼를 지어 학교 앞 갯벌까지 들어온다.

그러나 '섬마을 선생님' 노래 배경지라고 주장하는 대이작도의 계남분교와 소야도의 소야분교, 하태도의 하태분교, 녹동항 주변의 금당초등학교 등의 섬 학교들은 바닷가에서 떨어져 있고, 갯벌이 적어 철새 떼가 서식하기에 부적합하다.

해당화는 장미과 식물로 스승의 날인 5월 15일경 한 달간 절정을 이루며 꽃이 가장 화려하고 향기가 좋을 때다. 남해안은 동백나무 군락지(群落地)가 많은 반면에 중부지방인 대부도 해안에는 동백나무 군락지는 없고 해당화 군락지가 많았다. 대남초등학교는 모래 언덕의 적산부지(敵産敷地)[81]인 바닷가 소나무 숲에 지어진 학교로 교문 앞에 넓은 도로가 개설되기 전에는 해당화가 자라는 모래 언덕[82]이었다고 한다. 특히 학교 건너편 느릿뿌리와 큰 염전이 있던 흘곶 마을 앞 긴장불이에는 모래와 자갈이 많아 농사를 지을 수 없는 바닷가 모래 언덕으로 해안에는 넓은 해당화 군락지가 있었다.

대남초등학교는 금당초등학교, 계남분교, 소야분교, 하태분교[83] 네 섬 학교에 비하여 학교

81) 1960년 6월 대부초등학교 대남분교 개교 당시 일본인 소유로 광복 후 주인 없는 땅에 학교를 지었으나 개교 11년 7개월 후인 1971년 말 산림청에서 불법 등기를 해 가서, 지금은 산림청 소유로 매년 불법 점용료가 부과되고 있어, 산림청의 횡포가 너무나 큰 실정이다. 학교 건물을 숲이라니? 말이 되는가?
82) 학교 운동장이나 교사(校舍)주변을 굴착하면 모래와 자갈뿐이며, 자연배수가 아주 잘 된다.

규모도 커서 1964년 10학급, 1965년 11학급, 1969년 12학급으로 졸업생들의 증언에 의하면 학생이 600~700명이나 되었고, 총각 선생님이 여러 명 근무했다고 한다.

'섬마을 선생님' 노래 2절 첫머리에 "구름도 쫓겨 가는 섬마을에~" 가사를 보면 4~6월 염전은 소금이 가장 많이 생산되는 시기로 비가 오면 안 되므로 구름이 쫓겨가야 한다. 대남초등학교 학구에는 창하, 강거래, 대남, 이화, 금화, 천신, 대성, 만성, 홍성, 백화, 중앙, 중부흥, 금당, 동일, 동립, 한신, 대흥, 대부, 대호, 광량, 유성염전 등 21개의 염전이 있어 스승의 날인 5월 중순의 마을 들판은 온통 하얗게 소금꽃이 피었단다.

<1960, 70년대 대남초등학교 가을운동회 5, 6학년 여학생 무용 장면>

그리고 '섬마을 선생님' 노래 배경지가 대부도인 것을 SBS, KBS2, TV조선 등의 여러 TV와 라디오, 신문 그리고 경기 둘레길, 서해랑길, 안산 대부도 해솔길 제4코스를 다녀간 후 대남초등학교와 '섬마을 선생님 노래비' 관련 글을 많이 올려, 주요 포털의 블로그에서 안산 대부도의 '섬마을 선생님 노래비'와 '섬마을 선생님 노래 배경지'가 많이 검색된다. 이렇게 '섬마을 선생님' 노래 관련 글과 사진이 많이 실리는 것은 대부도가 이 노래의 배경지임을 뒷받침하는 것이다.

이제까지 서울에서 오갈 수 있는 교통편, 해당화 군락과 철새 도래지 같은 환경적인 면, 학교 규모와 지역사회 여건 등을 고려할 때 대부도 대남초등학교 일원이 '섬마을 선생님' 가사나 소재에 부합한다. 따라서 1965년에 발표된 섬마을 선생님 노래 배경지는 대부도 대남초등학교이고, 1966년 라디오 연속극 내용상의 배경지는 녹동항에서 동력목선(動力木船)으로 40분 거리에 있는 어느 섬이며, 1967년 영화 내용상의 배경지는 남해안 하태도, 촬영지는 대이작도와 소야도라 할 수 있다.

특히, 서울에서 대부초등학교 대남분교로 첫 발령을 받을 수밖에 없었던 총각 선생님과 독일 간호사로 뽑힌 19살 섬 색시 결혼 이야기, 학교 앞 갯벌에 봄이면 오가는 철새와 5월 중순 스승의 날에 바닷가 모래 언덕에 피고지는 향기롭고 아름다운 해당화 군락지 등의 이야기는 대남초등학교가 '섬마을 선생님' 노래의 배경지임을 확인시켜 주는 것이다.

지역을 대표하는 좋은 노래 하나가 그 나라를 대표하는 세계적인 관광지가 될 수 있으므로 대중가요 트로트에 열광하고 있는 시대적 유행에 부응하여, 지방자치단체에서는 '섬마을 선생님 노래 기념관'을 대부도에 건립하고, 각종 콘텐츠를 개발함으로써 예능인과 관광객 유치로 문화 발전과 지역 경제 부흥에 힘써야 할 것이다.

83) 1960년 초·중반의 하태분교는 하태초등학교였음.

晴境 金善喆

1972 진주교육대학교
1973~1998 초등학교 및 특수학교 교사
1985 방송통신대학교
1988 국민대학교 교육대학원
1999 안산서초등학교 교감
2002~2012 정왕-대남초등학교 교장
2016 대부도 향토 에코뮤지엄 20선
대부도 옛지명 이야기 지도
큰섬 대부도 우리 마을 스토리텔링 안내서
2015~현재, 생태환경해설사, 안산시문화관광해설사

섬마을 선생님 노래 배경지를 찾아서

발 행 | 2023년 12월 28일
편저자 | 김선철, 협찬; 섬마을선생님노래비건립위원회
감 수 | 신정웅
펴낸이 | 한건희
펴낸곳 | 주식회사 부크크
출판사등록 | 2014.07.15.(제2014-16호)
주 소 | 서울특별시 금천구 가산디지털1로 119 SK트윈타워 A동 305호
전 화 | 1670-8316
이메일 | info@bookk.co.kr

ISBN | 979-11-410-6265-1
www.bookk.co.kr